D0893138

pierre châtillon
LA MORT ROUSSE

pierre châtillon

LA MORT ROUSSE

roman

Éditions du Jour
1651, rue Saint-Denis, Montréal

Toute ressemblance avec des personnes vivantes ou mortes est purement fictive, à l'exception du père Papillon qui est mon grand-père paternel et à qui il m'a plu de rendre hommage en en donnant un portrait si fortement poétisé qu'il l'élève en quelque sorte à une espèce d'existence mythique et lui redonne une vie qu'un être de cette trempe n'aurait jamais dû perdre.

Distributeur :

Messageries du Jour Inc.,
8255, rue Durocher,
Montréal, H3N 2A8
Téléphone : 274-2551

Maquette de la couverture : Yvan ADAM

ISBN : 0-7760-0622-3

Le vieil homme regarda descendre à l'horizon rose le soleil blanc de février. Il le regarda descendre par la fenêtre à petits carreaux à meneaux de bois tous peints en noir de sa vieille maison du « bas de la rivière », à proximité de Nicolet, dont l'extérieur était également peint en noir et qu'il habitait depuis l'âge de trente ans.

La mort parfois a d'étranges caprices, d'étranges pitiés peut-être pour les hommes ou bien d'étranges artifices d'envoûtement rappelant ceux des femmes cruelles et jalouses. Ainsi, par les grands froids d'hiver, lorsque d'une invisible main elle enlumine de tant de fleurs exquises le givre des vitres, il faut l'expérience d'un homme qui la hait depuis toujours pour refuser de la suivre, de séductions en séductions, par les allées translucides de ces merveilleux jardins conduisant droit au trou glacial et blanc de l'éternel néant.

C'est à travers ces fleurs de givre exquises dessinées sur chacun des petits carreaux de verre encastrés de bois noir de sa fenêtre que le vieil homme regardait descendre à l'horizon rose le soleil blanc de février.

Chaque jour, pensait-il, et chaque rêve est à l'image de la vie avec son aube émerveillée, son illusion rouge du midi et son soir noir engloutissant l'astre écarlate et dérisoire de l'espoir.

Chaque être porte un paysage dans son coeur. Le paysage que le vieil homme, depuis l'âge de trente ans, portait tout au fond de son coeur était celui-là même qu'il avait en ce moment devant les yeux : des fleurs de givre peintes par la mort, illuminées, de jour, par un fragile soleil blanc, et recouvertes, chaque soir, par la nuit noire du désespoir.

A 69 ans, pourtant, il n'avait jamais été sérieusement malade. Jusqu'à trente ans, certes, hanté par la fuite du temps, de constantes insomnies avaient troublé son repos, mais de 30 à 69 ans il s'était enfoncé chaque nuit dans un sommeil profond, trop profond bien sûr et ressemblant à celui des morts qui, désintéressés à cause de leur vie à tout jamais finie, regardent de sous la terre se dérouler le cycle imperturbable et monotone du temps.

Aussi, cette nuit-là, si, pour la première fois depuis l'âge de trente ans, le vieil homme fut en proie au mauvais sommeil, c'est que depuis quelques jours des douleurs intermittentes et des crampes s'étaient mises à s'emparer de ses jambes. Ce soir-là, il eut même de la difficulté à marcher depuis la fenêtre jusqu'à son lit tout entier peint en blanc.

Depuis plus d'un an, en outre, il ressentait des élancements dans le dos, juste entre les deux épaules. Attribuant à l'âge cette contrariété, il n'avait pas cru nécessaire de consulter un médecin et c'est seulement depuis que la souffrance s'était logée dans ses jambes qu'une certaine angoisse s'était éveillée en lui. Si le mal persistait, se répétait-il, il faudrait bien consentir à s'avouer malade et il se rendrait chez le docteur. Un peu d'arthrite sans doute, mais, le lendemain, tout irait mieux.

Le lendemain, lorsqu'il tenta de se lever, le vieil homme dut s'appuyer au mur tout entier peint en blanc pour ne pas rouler sur le plancher de bois également peint en blanc. Avec toute l'énergie de sa forte constitution, il parvint à se maintenir debout, quitta tout point d'appui, chancela et essaya de faire quelques pas. Il en fit trois puis, ses jambes refusant de le supporter davantage, elles se firent molles comme de la guenille et il s'effondra à une courte distance de sa chaise berceuse en merisier laminé. Près de la chaise préférée, se trouvait une autre berceuse en chêne peinte en rouge puis une petite table portant un grand cendrier, des pots de tabac, des pipes et un appareil de téléphone.

Lui, si agile, grimpeur d'échelles, toujours à califourchon sur les toits, véritable acrobate lorsqu'il s'agissait de peinturer un pignon de lucarne ou de goudronner des couvertures inclinées et glissantes comme des patinoires — car, de peintre en bâtiments qu'il avait été jusqu'à l'âge de trente ans, il s'était ensuite spécialisé dans l'application du goudron sur les toitures — lui, si agile, si fier de ses jambes, il toucha ses pieds, ses mollets, ses genoux, ses cuisses soudainement devenus rigides et les ayant avec terreur trouvés froids comme du marbre, c'est d'une main toute tremblante qu'il signala le numéro du médecin tandis que sur ses joues brûlantes de fièvre deux longues larmes se mirent à couler comme ces grosses gouttes d'eau à la fine pointe des glaçons d'avril suspendus avec tant de légèreté aux toitures dangereusement inclinées des maisons.

Transporté d'urgence à l'un des hôpitaux des Trois-Rivières, municipalité plus considérable située à une quinzaine de milles de Nicolet, le vieil homme se retrouva seul dans une chambre à trois lits. Seul. Enveloppé dans des draps blancs sévèrement pressés. Seul, face à un mur blanc, à un plafond blanc et à un autre mur blanc percé d'une fenêtre par laquelle il apercevait danser avec une sorte de joie macabre la poudrerie blanche du destin. Enfin, presque seul, car, au pied du lit, se tenait debout une forte religieuse aux lèvres blanches et tout entier vêtue de blanc comme si la neige de février eût pénétré dans cette chambre et se fût contractée, rigide, devant lui, pareille à la statue même de la mort attendant immobile de le voir périr étouffé dans la blancheur.

Mais le vieil homme avait perdu tout contrôle sur ses pauvres jambes. A tout moment, des spasmes les soulevaient, les recroquevillaient, les emmêlaient et la religieuse, avec douceur mais énergie, devait appuyer de ses deux mains sur les genoux de l'homme afin de forcer les jambes à retrouver leur position allongée. Quelques minutes plus tard, les muscles repris de secousses emmêlaient de nouveau les jambes les pliant jusqu'à rapprocher les talons des fesses, et les mains blanches de la religieuse à lèvres blanches devaient appuyer de nouveau sur les genoux et il semblait à l'homme qu'à chacune de ces pressions elle tentait de l'enfoncer de plus en plus profondément dans la blancheur du lit au-dessous duquel devait s'ouvrir de toute évidence le trou béant du vide blanc.

Les résultats d'une ponction lombaire furent catastrophiques mais le vieil homme exigea la plus entière vérité. On avait décelé un cancer de la prostate, bénin s'il avait pu être soigné beaucoup plus tôt, mais la paralysie gagnait du terrain d'heure en heure. Il était devenu inutile d'enlever la prostate, trop attaquée, et le chirurgien se voyait réduit à aller fouiller dans la moelle épinière avec l'espoir, minime, de ralentir la course de la maladie. Il fut très franc, avoua que les suites de l'opération allaient être fort douloureuses, que, dans le cas d'un échec, le mal emporterait l'homme en quelques semaines ou quelques mois selon sa résistance, mais que, advenant une réussite, des médicaments nouveaux pourraient permettre au vieux peintre et goudronneur de recouvrer l'usage de ses jambes et de survivre pendant une période indéterminée : un an, deux ans, trois ans peut-être. De toutes façons, il fallait opérer dès le lendemain matin.

Depuis trente-neuf années, le vieux malade avait vécu en quelque sorte à côté ou en dessous de la vie, car, dès la trentaine, il avait peint tout l'extérieur de sa maison en noir, en avait recouvert le toit de goudron noir, en avait peint l'intérieur en blanc, était demeuré célibataire de volonté délibérée, n'était plus sorti de son espèce de mausolée que pour aller travailler et n'y était rentré, le soir, fourbu, que pour regarder descendre le soleil à l'horizon tout en s'allumant une pipe de tabac canadien fort et en se berçant dans sa chaise en merisier laminé avec, dans ses yeux ravagés par la tristesse, le regard étonnamment fixe d'une sorte de momie vivante habituée à cette espèce de mort tranquille.

Mais voici qu'on allait l'arracher à la mort qu'il s'était choisie et qu'on allait brutalement, avec mille douleurs, le précipiter dans une nouvelle sorte de mort, dans un inconnu terrifiant qui se présenta soudain à lui sous la forme d'une poudrerie gigantesque où l'homme, sans repos, sans pipe et sans berceuse allait être emporté tel un flocon avec l'impression de se débattre et d'étouffer dans la blancheur pendant l'éternité.

Terrassé par cette nouvelle, le vieil homme ne songea sur le coup qu'à s'allumer une dernière fois une pipe de tabac fort mais la religieuse à lèvres blanches lui fit signe que non, ses yeux blancs révélant d'ailleurs qu'elle considérait cette demande comme un caprice indigne d'un homme dont les pensées déjà auraient dû commencer à se hausser vers ces régions où l'âme, loin des futilités de la terre, allait bientôt peut-être devoir entrer.

Dehors, il neigeait de plus en plus. Des crampes lui recroquevillèrent de nouveau les jambes et cette fois, lorsque la religieuse aux lèvres blanches vint presser de ses deux fortes mains sur ses genoux, il eut la certitude qu'elle s'efforçait de l'enfoncer et de le maintenir bien droit dans son cercueil, et, lorsqu'elle approcha ses deux mains blanches pour remonter le drap blanc jusqu'à son cou, il ne put retenir un cri car elle lui apparut comme la statue de neige de la mort empressée de le cerner de blanc de toutes parts et approchant ses doigts de glace de sa gorge afin de l'étrangler.

Le lendemain, au moment où on le transportait vers la salle d'opération, le vieil homme, déjà sous l'effet de médicaments apaisants, s'attacha davantage à la réussite de l'entreprise qu'à son échec. Les suites de l'opération allaient être douloureuses certes mais il lui resterait un an, deux ans, trois ans peut-être à vivre et à marcher. Et le vieil homme se demanda de quelle façon intelligente il conviendrait d'utiliser ce sursis.

Et bien que depuis trente-neuf ans déjà il eut en tout état de cause cessé de vivre, une étrange chaleur se mit à monter du profond de son coeur. Cerné de toutes parts par la blancheur du vide et par le goudron noir du désespoir, il lui sembla que depuis tant d'années il s'était efforcé avec ses mains solides d'ouvrier d'empêcher le soleil de monter dans le ciel. Il lui sembla avoir construit sa maison noire et blanche à l'horizon, à l'endroit même d'où doit sortir le soleil, et avoir déposé sa maison et sa chaise berçante à cet endroit précis afin de retenir sous terre le soleil. Et il y était parvenu, pendant trente-neuf ans, grâce à ses mains puissantes. Certes, un autre soleil, blanchâtre, illuminant même en été de grêles fleurs de givre avait continué de parcourir l'espace et, chaque soir, il l'avait regardé descendre sous la nuit. Mais le soleil, le vrai, le rouge, le fou soleil, celui qu'il avait adoré pendant toute son enfance, pendant toute son adolescence, la grande folie solaire, cela il l'avait bien tenu coïncé sous la terre avec ses fortes mains de goudronneur.

Mais, de même que le vieil homme avait perdu tout contrôle sur ses jambes jadis si agiles, de même ses pauvres mains s'étaient mises à trembler, vidées de forces, et, incapable de retenir plus longuement l'astre de feu sous le sol, il ne put empêcher le haut soleil de la révolte de jaillir comme un coup de fièvre dans son coeur. Et c'est toute la haute folie solaire des années d'avant la trentaine qui se mit à flamber de nouveau. La figure du vieil homme s'empourpra. Une idée extraordinaire s'empara de son esprit et ne le quitta plus. Voilà de quelle façon il utiliserait son sursis de quelques années. Il sauterait dans sa vieille Ford déglinguée et s'en irait mourir dans un pays où règne le soleil.

Le vieil homme n'avait jamais quitté Nicolet mais des amis à lui s'étaient rendus jusqu'en Floride et lui avaient parlé des fleurs, des fruits, des oiseaux colorés, des palmiers, de la mer et du soleil surtout, du soleil qui, chaque jour, illuminait, chauffait cette contrée heureuse et nourrissait de feu le coeur, l'esprit, le corps de ses habitants. C'est donc là qu'il irait. Ah ! il faudrait bien quatre ou cinq jours de route en ne se pressant pas trop mais on y parviendrait, on s'en irait mourir en plein soleil.

Déjà il se voyait cherchant sur la carte un endroit où arrêter son choix. Il promena son doigt depuis Neptune Beach jusqu'à Port Orange et Cocoa Beach, depuis Palm Bay jusqu'à Islamorada, Pirates Cove et Key West, puis il remonta le long du Golfe du Mexique depuis Alligator

Alley jusqu'à Cape Coral, Flamingo Bay, Nokomis et soudain son doigt s'arrêta sur une petite île située à une cinquantaine de milles plus bas que Tampa. Son doigt s'arrêta mais son corps tout entier se mit à trembler et l'anesthésiste qui allait l'endormir s'étonna de l'extrême pourpreur de toute sa figure.

La petite île s'appelait Anna Maria Key. Anna Maria. Anna Maria. Anne-Marie. Anne-Marie. C'est là bien sûr, c'est là qu'il s'en irait mourir. En plein soleil. Anne-Marie. Et dans l'esprit du vieux, en proie au plus total vertige, se mit à tourner, à mesure qu'il évoquait ce nom, un immense soleil capable d'emplir de feu le vide tout entier, Anne-Marie ! un soleil fou, immense comme celui de l'amour, et qui se mit à tourner, à tourner lançant partout ses rayons, immense et tout pareil à la tête immense d'une belle jeune femme faisant tourner plein le ciel le soleil fou de ses immenses cheveux roux.

Et tandis qu'on lui ouvrait le dos pour juger des ravages du cancer, le vieil homme vérifiait par anticipation sa Ford déglinguée et se préparait à prendre la route d'Anna Maria Key.

Il pénétra dans son garage, tâta les pneus à neige usés de la vieille auto, se demanda si malgré ses 88,000 milles elle pourrait tenir le coup jusqu'en Floride, puis ses yeux se promenèrent sur le bric-à-brac qui entourait la voiture. Des barils et des barils de goudron, des échelles, des planches à échafaudages et surtout, surtout, dans un coin, des pots de peinture, des bouteilles de térébenthine et des pinceaux, un tas de pinceaux collés, durcis, depuis trente-neuf années abandonnés là.

Le vieil homme mit le moteur de la Ford en marche, sortit du garage et jeta un dernier regard à sa maison noire perdue parmi la neige, à quelques centaines de pieds de la rivière Nicolet. Sa maison noire, isolée, était située à trois milles de Nicolet dans une zone appelée « bas de la rivière », zone habitée par des estivants et des pêcheurs à cause de sa situation privilégiée à l'endroit précis où la rivière Nicolet se jette dans l'immense élargissement du fleuve Saint-Laurent appelé Lac Saint-Pierre et baptisé du nom de Grande-Rivière par les habitants de la région. Cette maison n'était pas celle de ses parents mais celle de ses grands-parents et le coup d'oeil qu'il jeta sur cette relique de son passé agita tant de souvenirs dans son coeur qu'il faillit déraper sur la route couverte de plaques de glace. La visibilité d'ailleurs était rendue fort mauvaise par la poudrerie, une de ces poudreries comme les détestaient tant son père. Son pauvre père.

Une fois à Nicolet, il s'arrêta à la banque, vida son compte et retira quelques obligations d'épargne cumulant ainsi une somme d'environ mille trois cents dollars car son avoir, depuis qu'il se trouvait à la retraite, était peu considérable. Il empocha l'argent, remit son casque de fourrure à oreilles, s'alluma une bonne pipe de tabac canadien fort, remonta dans sa Ford et fonça dans la poudrerie.

Et c'est alors que son esprit fut envahi par les flocons multicolores du souvenir arrivant parfois pêle-mêle par bourrasques pour laisser place ensuite à des instants d'étrange et pathétique immobilité car la route est longue de Nicolet à la Floride et c'est tout à loisir que le vieil homme s'abandonna à revivre une seconde fois son existence.

La vue de ses pinceaux surtout lui avait causé une émotion si vive qu'il se retrouva, à dix-huit ans, peintre apprenti avec Ti-Draffe Auger. Ti-Draffe, ivre deux jours sur trois, avait bien mérité son surnom mais excusait son état en répétant : « L'ivrognerie, c'est la maladie des peintres. A force de respirer la peinture, y a des poisons qui donnent la soif. C'est pas de notre faute mais tous les peintres deviennent ivrognes ». Ti-Draffe pourtant trimballait ses échelles avec allégresse turlutant tout le jour comme un oiseau perché au bord des toits et l'apprenti de dix-huit ans chantait avec Ti-Draffe de sorte qu'on les avait surnommés les « beaux moineaux de Nicolet ».

Mais ce métier de peintre avait d'étranges origines et le vieil homme ne l'avait pas vraiment choisi. Déjà, enfant, son père lui achetait de grandes feuilles de papier qu'il barbouillait de rouge avec d'énormes crayons de cire. Car cet enfant avait la folie du rouge. Quand il avait barbouillé de cette couleur des vingtaines et des vingtaines de feuilles, il les disposait de façon à recouvrir le plancher du salon puis celui de la cuisine.

L'enfant, parfois, s'enfermait pendant des jours dans de grandes boîtes de carton qu'il coloriait lui-même en entier, l'extérieur et l'intérieur, avec des craies rouges. Une fois enfermé, il se disait enfermé dans le soleil, et ses parents lui passaient de la nourriture par un trou pratiqué dans l'une des parois. Il ne voulait de crème glacée sur le gâteau du dessert que dans ces conditions répétant qu'il n'acceptait de voir et de manger de la glace que lorsqu'il vivait à l'intérieur du soleil.

Ces reclusions dans des boîtes de carton coloriées en rouge avaient surtout lieu à l'approche de l'hiver et il fallait finalement user de force pour empêcher que l'enfant ne demeure enfermé dans ces boîtes jusqu'au printemps.

Et lorsque le blanc de la neige, les lendemains de tempêtes, avait bien recouvert toute la terre, la folie du rouge connaissait des regains d'ardeur. Alors l'enfant coloriait d'immenses feuilles de papier au crayon de cire rouge mais il ne se contentait plus d'en étendre partout dans la maison, il les disposait sur la galerie, sur les trois marches puis il les ajustait les unes à côté des autres comme des tuiles sur la neige tout autour de la maison posant sur chaque feuille un gros caillou afin d'éviter qu'elles soient emportées sous l'action violente du vent du nord. Et son père le regardait faire avec amusement, l'aidant même dans son entreprise. « Cet enfant, commentait-il en riant avec sa femme, on dirait qu'il veut rougir le monde ».

Rose-Aimée, sa mère, avait été la plus belle femme de la région attirant tous les regards à cause de la délicatesse de ses traits et de l'élégance de son corps mais surtout en raison de l'immense chevelure rousse qu'elle laissait retomber libre jusqu'au bas de son dos. Son mari d'ailleurs avait changé son nom en celui de Rouge-Aimée et l'appelait parfois tout simplement Rouge. Et quand elle circulait, véloce, par la maison, ses cheveux longs derrière elle comme des traînées de flammes, « Attention, Rouge, lui criait son homme, en guise de taquinerie, attention, tu vas mettre le feu partout ! »

La Ford déglinguée du vieil homme roulait maintenant sur la route Marie-Victorin qui relie de tous petits villages éparpillés sur une plaine d'une extrême désolation. Rouge-Aimée. Il revoyait sa mère, orgueilleuse et belle comme un astre, nerveuse dans tout le frou-frou de ses longues robes à dentelles et faisant résonner de haut en bas la maison avec les talons fins de ses petites bottines boutonnant sur le côté. Rouge-Aimée. La poudrerie continuait à faire rage comme des tourbillons de dentelles autour de la vieille auto. Comme des tourbillons de dentelles mais comme des cheveux aussi, la chevelure interminable et blanche, enchevêtrée, les longs cheveux emportés fous de toutes les femmes mortes depuis le plus lointain des temps. Et les cheveux de Rouge, malgré la superbe de leur pourpreur, avaient fini par blanchir et s'emmêler à tous ceux-là qui composaient maintenant et pour l'éternité la chevelure de poudre blanche de la mort.

A mesure que dans son coeur reprenait vie le frou-froutant fantôme exquis de Rouge-Aimée, d'étranges images, confuses d'abord puis de plus en plus précises, remontaient à la mémoire du vieil homme. Des images qui donnaient peut-être un sens à toute sa vie et à cette folie du rouge dont il n'avait cessé d'être la proie qu'aux environs de la trentaine mais qui venait brusquement de reprendre l'empire de tout son être. Besoin mystérieux de tout rougir la terre, besoin qui, vu avec le recul, n'était probablement rien d'autre qu'un grand rêve de chaleur, d'amour, de refus de la mort. Etait-il nécessaire d'ailleurs d'essayer de justifier ce besoin ? Qui donc est libre de ses rêves ? On en est si peu libre de nos rêves, en fait, que ce sont eux les véritables, les uniques maîtres de nos destinées.

Dans l'un des songes les plus persistants qui avaient hanté les rares moments de sommeil de ses jeunes années, une grande boule rouge enveloppait l'enfant l'emportant tout heureux à travers les espaces infinis. Et cette boule rouge était composée de rayons souples comme des cheveux. Si bien qu'il était arrivé à cet enfant de se demander si, dans quelque existence antérieure, il n'avait pas vécu tout bon-nement sur le soleil ou sur quelque planète de feu semblable à cet astre. Mais avec le recul, se demandait le vieil homme, n'était-ce pas simplement là le souvenir de tant et tant d'heures de chaleur qu'il avait passées, après sa naissance, enveloppé avec passion dans l'immense chevelure rousse de la belle Rouge-Aimée ?

Un jour d'été — c'est son père qui lui avait raconté ce fait — on l'avait laissé dehors couché dans son moïse, sa mère crochetant un châle à ses côtés. Puis sa mère s'était éloignée pour préparer le souper et, lorsque le soleil avait disparu sous l'horizon, l'enfant s'était mis à pleurer. Tant que le soleil avait brillé au-dessus du moïse, l'enfant ne s'était pas aperçu de l'absence de sa mère dont il avait confondu la chevelure avec celle de l'astre de rayons, mais lorsque le soleil avait quitté le ciel, il s'était cru abandonné par Rouge-Aimée et s'était mis à crier. A cette confusion de son bas âge devait être imputable le fait qu'au cours de toute son existence, le vieil homme avait éprouvé à chaque coucher de soleil une atroce impression d'abandon. Du moins était-ce ainsi qu'il lui semblait comprendre maintenant, à la faveur de son délire, l'une des émotions capitales de sa vie.

A dater de ce moment, en tout cas, il n'avait plus voulu que sa mère le quitte à la venue du soir. Il s'accrochait à ses cheveux comme il l'aurait fait aux rayons du soleil. Il voulait demeurer près d'elle jusqu'à l'aube et refusait de la voir s'endormir de peur qu'elle ne s'éveillât plus jamais. De cette époque également datait cette terreur qui s'était emparée de lui pour ne le plus jamais quitter, cette peur insupportable que le soleil ne remonte jamais à la fin de la nuit.

« Papa, toi qui es grand et fort, empêche le soleil de se coucher et empêche maman Rouge de dormir » avait supplié l'enfant. « Mais nous ne mourons pas, lui avait répondu sa mère, nous nous reposons, tout simplement, le soleil et moi, et chaque matin nous sommes de nouveau chauds, jeunes, pleins de feu et pleins d'amour. »

Alors, son père avait eu l'idée de semer des tournesols tout autour de la maison. « Si le soleil veut disparaître, qu'il disparaisse, avait-il dit en riant, on s'en fiche pas mal. On va entourer la maison de tournesols et nous allons avoir nos propres soleils à nous. Pas un soleil mais des tas et des tas de soleils » . Et tout l'été, exalté par cette floraison, l'enfant avait vécu heureux. Les fleurs de tournesols s'ouvraient hautes au-dessus de sa tête composant pour lui un ciel étrange où brillaient des dizaines et des dizaines de soleils.

Aux premières gelées, toutefois, les longues tiges desséchées avaient été cassées par les vents froids du lac et les fleurs énormes avaient chu, brûnies, sur le sol. Alors l'enfant les avait toutes recueillies une à une et les avait emportées dans son lit pour passer la nuit avec ses soleils. Sa mère, mécontentée par les pétales et les graines répandus dans les draps, avait alors eu l'idée, pour remplacer toutes ces fleurs, de crocheter un grand soleil de laine rouge avec lequel, au lieu d'un banal ourson de peluche, l'enfant tentait de s'endormir en le pressant bien fort contre son coeur.

Sur la route Marie-Victorin conduisant à Montréal, un poteau indicateur signala l'approche du village de Contrecoeur et le vieil homme, en lisant ce beau nom, se remémora avec une ferveur extrême ces nuits d'antan passées à étreindre son soleil de laine rouge contre son coeur.

26

Chaque soir, dans la maison de ses parents, on allumait un feu dans l'âtre et l'enfant demeurait des heures à contempler la danse des flammes. Il avait obtenu la permission même d'attiser les braises avec le tisonnier.

Mais quand les dernières billes d'érable et de sapin s'effritaient en cendres, l'enfant, chaque fois, se mettait à pleurer. « Papa, toi qui es grand et fort, empêche le feu de s'éteindre. Du feu, je veux toujours du feu. Empêche le feu de réduire le bois en cendres ». « Mais plus il y a de feu et plus ça brûle, c'est la vie, on n'y peut rien, c'est ainsi, mon petit », répondait le pauvre père qui ne savait comment éviter à l'enfant la découverte atroce du temps qui passe et ronge et détruit toute vie en cendres.

« Mais moi, je veux du feu partout, criait l'enfant, je veux partout du rouge et je ne veux pas de cendres ! » Puis, un soir, s'étant interrompu pendant un long moment, il avait ajouté : « Si c'est vrai, papa, que plus il y a de feu plus ça brûle, alors c'est que plus les cheveux de maman vont être rouges plus elle va brûler et plus le soleil va être rouge plus il va brûler et, un bon jour, tout le soleil et maman Rouge vont se décomposer en cendres ». Et le père n'avait rien répondu, mal à l'aise et ne sachant plus où jeter les cendres dont sa pipe était remplie.

« Vois-tu, mon enfant, on ne peut pas arrêter le soleil, c'est certain, avait repris le père, le lendemain, mais il y a une chose qu'on peut faire. On ne peut pas empêcher le feu de détruire mais on peut l'empêcher de s'éteindre. Il suffit d'y jeter sans arrêt des bûches neuves qui font remonter les flammes. On ne peut pas arrêter le temps mais on peut le continuer, on peut l'entretenir avec notre espérance. L'espérance c'est comme les bûches neuves qu'on jette dans le feu du temps. Par exemple, moi, j'ai les cheveux noirs et toi aussi tu as les cheveux noirs. Jusqu'ici, tu es notre seul enfant mais il en viendra d'autres sûrement. Il en viendra. Un jour, ta mère mettra au monde une petite fille rousse comme elle, deux, trois petites filles rousses peut-être et ces petites filles continueront la si belle rousseur de ta mère et cette rousseur-là continuera ainsi pendant l'éternité comme un feu dans lequel on jette des bûches neuves. Les enfants, c'est comme des bûches qui font remonter les flammes de la vie et qui tiennent éloignés le froid et le grand noir du temps. »

Le père, tout étonné d'avoir prononcé des paroles qu'il ne se serait jamais cru capable de formuler et profondément bouleversé par l'invraisemblable espoir qu'il venait d'évoquer tel un conteur qui vient d'inventer pour le plaisir de ses auditeurs un mensonge sublime auquel il a lui-même le goût de croire, s'était renfermé de nouveau dans son silence écoutant craquer en lui les braises d'un grand songe d'éternité que, depuis tant d'années, il s'était efforcé en vain d'attiser mais qui finissait toujours par laisser l'âtre de son coeur rempli des cendres froides du désespoir.

L'enfant d'ailleurs n'avait accordé que peu d'attention à ces phrases qui dépassaient son entendement. On était en octobre et lorsque, les jours suivants, les feuilles empourprées des érables se furent mises à tourbillonner dans le ciel bleu, il sortit en criant de joie plus attentif aux forêts couleur de feu qu'à la chute des premières feuilles. Il adorait l'automne et disait que, sur le soleil, les arbres devaient tous porter un feuillage comme celui-là. « Papa, que la terre serait belle si tous les cheveux des femmes se mettaient à rougir comme les feuilles ! » Content de cette petite trouvaille, il la répéta pendant plusieurs jours avec une joie toujours croissante.

Mais vinrent pendant la nuit les aquilons aux fins rasoirs et, un lendemain de bourrasque, toutes les feuilles avaient roulé pêle-mêle sur le sol.

L'enfant s'empressa de les recueillir une à une et entreprit d'en recouvrir les environs de la maison avec l'intention évidente de faire le tour de la terre et de la recouvrir de feuilles rouges. Mais il s'épuisa vite à cette entreprise, chaque feuille légère étant déplacée par le vent. Alors, il prit un long rateau et les amassa en un tas considérable au centre duquel il se creusa un trou et s'enfouit jusqu'au cou. « Si tous les cheveux des femmes devenaient rouges comme les feuilles, cria-t-il en riant, je m'en ferais un tas plus gros que le soleil et... » Il s'arrêta soudain, étonné par son absurde joie car il venait d'apercevoir, debout sur la surface de la terre, toutes les femmes aux crânes dénudés par les rasoirs du vent et toutes pareilles, atrocement figées et sèches, entrechoquant leurs bras aux doigts osseux, aux arbres squelettiques des forêts d'hiver.

Il courut se jeter dans les bras de sa mère s'enfouissant dans ses cheveux qu'il retenait à pleines mains contre les aquilons du temps.

A partir de ce jour, il n'eut plus de cesse qu'il n'interpelât son père le suppliant de l'emmener dans sa barque jusqu'au bord de l'horizon afin de saisir dans ses bras le soleil et de le ramener à la maison. « Nous irons, répétait le père, nous irons. Dès l'été venu, on prendra la barque et nous irons. On ne peut peut-être pas arrêter le soleil mais, quand on est habile et qu'on a l'âge requis, on peut en voler des morceaux. Faut avoir l'âge et tu ne l'as pas encore. Faut avoir au moins vingt ans. Et puis, faut être habile. Faut être très habile. Mais nous irons. »

Le père du vieil homme avait construit sa maison dans le « bas de la rivière » parce qu'il était pêcheur. Il tendait sur le lac Saint-Pierre des filets et des lignes dormantes et, chaque fois qu'il s'y rendait, il emmenait son garçon pour l'aider à décrocher les achigans, les perchaudes, les dorés, les barbues, les carpes, les anguilles, les brochets et les crapets-soleils.

Aussi, quand la saison fut venue, le père et le fils se rendirent à plusieurs reprises, à grands ahans de rames, très loin, très loin sur le lac Saint-Pierre appelé également Grande-Rivière. Ils étendaient un filet flottant supporté par des boules de liège et attendaient que le soleil s'y pose inconsciemment. « Encore raté, disait le père, mais nous finirons bien par l'attraper ». Et ils revenaient fourbus à la maison. Mais ils y retournaient au crépuscule suivant, étendaient de nouveau leur filet, attendaient. « Ah ! cette fois, nous avons bien failli l'avoir, s'enthousiasmait le père, regarde, le filet est brillant de rayons, mais tu n'es pas encore assez âgé, c'est pour cela qu'on ne parvient qu'à attraper des miettes ».

« Et puis, ajouta-t-il, un soir où il n'avait plus l'intention de se prêter à ce manège épuisant, au fond, le soleil, nous deux, on s'en fiche pas mal. On a ta mère. Et ta mère c'est le soleil de ma vie et c'est le soleil de ta vie ».

Un autre soir, en présence de sa femme, il confia mi-sérieux mi amusé à son fils : « Tu vois, quand j'ai eu vingt ans, je suis parti en barque comme ça, à grands ahans de rames, et je me suis rendu là-bas, au bout du bout de la Grande-Rivière, j'ai tendu mon filet — mais j'avais l'âge, vois-tu, et j'étais très habile — et j'ai attrapé un morceau de soleil dans mon filet. Je l'ai ramené à la maison et ce morceau de soleil c'est ta mère. C'est pour cela que, depuis ce temps, le soleil est un peu moins gros mais il en reste encore en masse. Ne crains rien. Il en reste en masse. Quand tu auras vingt ans, tu prendras la barque et le filet et, si tu sais t'y prendre, toi aussi tu pourras attraper un morceau de soleil et tu auras une belle femme comme ta mère. Moi, ajouta-t-il, après quelques instants, en clignant de l'oeil vers son épouse, j'ai deux femmes en quelque sorte. J'ai ta mère, Rouge-Aimée, puis j'ai le soleil, là-bas, que j'appelle la Grande Rousse » .

Et Rouge-Aimée, en femme passionnée, chaque fois que son mari reprenait cette taquinerie, ne pouvait s'empêcher de réprimer un petit frisson de jalousie.

Un soir, alors que l'enfant avait atteint une dizaine d'années, et comme pour justifier cette mystérieuse jalousie, le père, qui s'était rendu très loin sur la Grande-Rivière, seul, ne rentra pas.

Son corps bleu, gonflé d'eau, fut retrouvé une semaine plus tard, au milieu du lac par des pêcheurs attirés par un attroupement anormalement considérable de mouettes au bec orange.

Rouge-Aimée, qui jusque-là s'était moqué du temps disant : « Je m'enroule dans mes cheveux roux et je lui fais peur », ne se remit jamais de la mort étrange de son mari.

Ses cheveux roux qui avaient fait sa gloire se mirent à blanchir soudainement. Puis elle en vint à se promener sur la grève, face au soleil couchant, et à lui adresser de confuses injures. Elle parla de plus en plus souvent d'une rousse rivale, d'une Grande Rousse cachée, là-bas, de l'autre bord du monde et qui avait tourné la tête à son mari, qui l'avait fait descendre de sa barque pour l'attirer jusqu'à Elle par ensorcellement puis qui l'avait noyé.

Ses cheveux immenses devinrent si blancs qu'elle peintura en rouge toute la surface de son miroir devant lequel elle passait maintenant des heures à se faire des chignons, à se peigner, à dérouler sa chevelure et à parler de feu. « Si mes cheveux s'éteignent, répétait-elle, je mettrai le feu partout. Si je dois m'effriter en cendres, je veux que tout le monde s'effrite en cendres. Je n'accepte pas de blanchir en face de ma Rivale qui se promène dans le ciel et rit de moi dans ses grands cheveux rouges ».

Deux ans à peine après la mort du père, une nuit que le jeune garçon était allé coucher chez ses grands-parents dont la demeure était située à moins d'un quart de mille de chez sa mère, la maison de Rouge-Aimée fut tout entière la proie d'un incendie violent et il ne resta rien qu'un amas de chair calcinée de cette femme que son fils avait aimée à l'égal du soleil.

C'était ainsi du moins que le vieil homme se rappelait de son enfance jusqu'à l'âge de douze ans. Mais peut-être cette enfance avait-elle été aussi banale que celle de n'importe quel autre enfant. Peut-être ne s'y était-il déroulé aucun événement particulier mais c'est ainsi qu'elle lui apparaissait transformée sans doute à la fois par le délire auquel il était en proie sur la table d'opération d'un hôpital des Trois-Rivières et à la fois par la fatigue extrême qu'il éprouvait, allongé sur le mauvais lit d'un motel bon marché de Syracuse, dans l'état de New-York, après avoir parcouru plus de trois cents milles dans sa vieille Ford déglinguée par un grand jour de poudrerie de février.

Le lendemain, lorsque le vieil homme reprit l'auto-route 81 pour traverser l'état de la Pennsylvanie, c'était encore l'hiver mais la poudrerie avait cessé. Bientôt pourtant, le ciel couvert de lourds nuages commença de laisser tomber des torrents d'une pluie noire et glacée.

Et par une de ces associations innombrables qui tissent de fils apparemment fantaisistes mais aux points très sûrs le canevas de notre vie, le va-et-vient monotone des essuie-vitres chassant l'eau du pare-brise rappela à la mémoire du vieil homme le fantôme délicat de sa grand-mère.

Après la mort de Rouge et de son père, l'enfant avait été élevé par ses grands-parents, mi-trottinant dans des pantoufles crevées, incapables de se supporter longtemps sur un même pied, mi-appartenant déjà au grand silence éternel vers lequel ils refusaient encore de se laisser glisser se retenant aux meubles, aux rampes des escaliers, aux bras de leurs rocking-chairs et même, étrangement, à un long rosaire à gros grains de bois qu'ils récitaient en même temps chacun des deux serrant l'un des bouts de la chaîne comme s'il eût été prêt à retenir son conjoint en cas de glissement et à tenter de le hisser de nouveau dans la vie.

Mais les vieilles gens sont comme frottés par la gomme à effacer du temps et, de moins en moins visibles chaque

jour, ils finissent par disparaître ne laissant sur la feuille
à nouveau blanche de la vie que quelques particules qui
sont les miettes du souvenir, particules sur lesquelles a vite
fait de souffler l'inlassable dessinateur du destin pressé
d'esquisser de nouvelles formes. Et le volume dans l'espace
qu'occupaient avec de moins en moins d'opacité les vieilles
gens est rempli à nouveau par l'air ainsi qu'il l'était d'ailleurs avant leur naissance. Car chaque humain ne fait que
pousser l'air un peu pour donner libre champ à l'expansion
dérisoire de son corps dans l'univers, puis son corps se ré-
sorbe et l'air reprend ses droits et c'est là la seule importance des humains : ce sont des pousseurs d'air temporaires.

Les essuie-vitres continuaient leur va-et-vient et le vieil
homme se rappelait cette période de son enfance où il
s'étonnait de voir sa grand-mère essuyer constamment les
verres de ses lunettes tout remplis de larmes. « Je ne
pleure pas, lui disait-elle, ce sont mes yeux qui coulent ».
Mais dans le souvenir de l'enfant, sa grand-mère n'avait
jamais cessé jusqu'à sa mort d'essuyer sur les verres de ses
lunettes les intarissables larmes à la fois sans motif et au
trop immense motif de la grande tristesse humaine.

Son grand-père pourtant était parti le premier après
lui avoir enseigné l'usage de la tranche à tabac et lui
avoir appris à distinguer les vertus des tabacs canadiens
qu'il achetait en mains : Tabac de Curé, Obourg, Vieux
Chef, Parfum d'Italie, Rose Quesnel, P'tit Belgique, Cham-
plain, P'tit Havane, Grand Rouge et ce délicieux Miel no I
que l'adolescent avait adopté pour la vie.

Son grand-père était parti comme une pipe qui s'éteint :
les yeux d'abord exorbités, brillants comme deux braises,
puis un dernier souffle pareil à une petite fumée trembleuse,

et, lorsqu'on avait descendu ses restes dans la fosse, le cercueil avait heurté le bord de la terre durcie et l'adolescent avait eu l'impression d'apercevoir la main du destin secouant sa pipe éteinte contre le rebord du cendrier du temps.

La grand-mère, elle, frêle comme une fleur en pot, était morte subitement en allant chercher un verre d'eau à la cuisine et c'est dans un bruit de vitre cassée qu'elle avait disparu comme si le vieux pot fissuré qui contenait la pauvre fleur venait de choir du bord de la fenêtre de la vie où depuis si longtemps déjà il était si mal appuyé. Et l'on avait étendu la vieille dame sur son large lit de fer ouvragé aux quatre montants surmontés d'une boule dorée, sur son large lit d'hyménée à la tête duquel était demeurée suspendue sa couronne de mariée composée de roses séchées. Et il semblait que la vieille dame fut elle-même l'une des fleurs de cette couronne qui venait de choir sur les draps blancs du lit.

Les vieilles gens ne disposant que de peu de biens, il n'avait pas été question d'envoyer l'adolescent au grand collège mais, les études l'intéressant moins que les couleurs, c'est avec une véritable euphorie qu'il avait débuté comme apprenti avec Ti-Draffe, le peintre.

Auguste, son meilleur ami d'enfance, lui, avait porsuivi des études classiques ; Auguste était le fils du notaire mais ni les différences de classes ni l'orientation fort dissemblable de leurs carrières n'étaient parvenues à affecter les liens de camaraderie qui les unissaient. Ils partageaient des goûts communs pour le tennis, Auguste préférant jouer à l'arrière et laisser les abords du filet à son ami, pour la bicyclette et pour le baseball qui faisait alors fureur, des défis étant constamment relevés d'un village à l'autre et plusieurs parties, surtout lorsqu'elles avaient lieu au village de Pierreville, tournant presque invariablement à la bagarre.

Et puis, tous deux, ils étaient membres de l'Harmonie Sainte-Cécile, fanfare de la ville de Nicolet, dirigée de façon humoristique mais très digne par un vieillard à moustaches du nom d'Edouard Hardy dit de Papillon et que tout le monde appelait le père Papillon.

Grâce à un labeur inhumain et bien entendu non rémunéré, le père Papillon était parvenu à ce miracle de réunir un ensemble de trente musiciens à qui il lui avait fallu apprendre chaque note. Le boucher jouait du tuba, le boulanger du trombone à coulisse, l'épicier du triangle, le forgeron la grosse caisse et le bel Anthénor, le coq du village, envoyant des oeillades aux filles, portait à l'avant le baton rouge à rubans du tambour-major. Auguste, lui, jouait de la trompette et son ami jouait du saxophone. Même Ti-Draffe, Ti-Draffe en personne soufflait dans une clarinette dont les deux bouts mal ajustés ne cessaient de se séparer, la partie la plus longue roulant par terre pour le plus grand amusement des enfants. Car Ti-Draffe, toujours ivre, n'avait jamais la bonne partition et, invariablement, lorsqu'arrivait le solo de clarinette, il fouillait dans ses poches, jurait contre l'anche ébréchée de son instrument. Le père Papillon, dans ces circonstances, fronçait ses sourcils gris et, à plus d'une reprise, lorsque la fanfare, au garde-à-vous, avait joué devant la maison de Monsieur le Maire, il lui avait fallu, le plus discrètement possible, replacer sur la lyre qui retient les feuilles sur l'instrument une partition que Ti-Draffe s'efforçait de lire à l'envers. Ti-Draffe d'ailleurs avait d'autres titres de gloire. Un jour de Fête-Dieu, alors que la fanfare précédait la longue procession de bonnes Soeurs, de dames de Sainte Anne, de Tertiaires, de Ligueurs du Sacré-Coeur et de couventines portant tous bannières, Ti-Draffe, à deux rues du reposoir, occupé sans doute à déchiffrer les notes d'une partition disposée tête en bas, avait omis de tourner en même temps que la procession et avait continué, tout seul, jouant à pleins poumons, sa casquette rouge de travers, par une rue transversale.

Des éclaircies de ciel bleu maintenant s'ouvraient parmi

les nuages de pluie et le vieil homme, fatigué de conduire sa Ford, n'en souriait pas moins en évoquant cette période somme toute lumineuse de son adolescence et de sa première jeunesse.

Devenu associé de Ti-Draffe, il grimpait aux maisons avec une agilité de pic-bois incitant les gens à rajeunir leurs demeures avec des couleurs gaies : du jaune, du vert tendre, de l'orangé, du rouge surtout. « Transformez vos maisons en fleurs, leur répétait-il, en cabanes d'oiseaux, mettez-y de la joie, la couleur c'est la joie. Faites de votre village un beau jardin, vivez dans des fleurs, mettez du rouge contre l'hiver ! » Et les gens s'amusaient de ces deux peintres turlutant sur les toits, se laissaient convaincre, consentaient à parer de teintes plus vives leurs balcons, leurs volets, leurs toitures mêmes.

Ti-Draffe, hélas, malade des poumons et prétendant brûler cette maladie par l'alcool buvait de plus en plus répétant à qui voulait l'entendre que son père avait vécu presque centenaire, toujours saoul, et se promenant tout l'hiver en petit veston, sans chapeau et sans manteau. Il lui arrivait maintenant d'entrer dans des colères sans cause jetant à la rue sa femme, ses enfants et tous les meubles de sa maison. Il fallait alors faire appel au policier Labarre, énorme et rigolo, qui attrapait Ti-Draffe par le collet et le poussait par les rues de Nicolet à grands coups de pieds dans le derrière jusqu'à l'unique cellule de la prison municipale où il le condamnait à cuver son vin jusqu'au lendemain matin. Ces jours de crise, il va sans dire, faisaient l'enchantement des enfants qui suivaient l'ivrogne et le policier avec une joie indescriptible.

Mais la santé de Ti-Draffe allait se détériorant et lui,

à qui tant de fois on avait prophétisé une mort tragique : chute d'un toit, échelle basculant, s'éteignit misérablement un soir de novembre dans un sanatorium des Trois-Rivières.

Et pendant des générations, les gens s'étaient raconté ses funérailles au terme desquelles l'ineffable père Papillon qui, en plus de diriger la fanfare, se levait chaque matin à cinq heures pour chanter les messes et jouait les grandes orgues, avait eu l'audace, au cours d'une de ces improvisations qui faisaient les délices des paroissiens, d'entrelacer de façon exquise le refrain d'une chanson à boire intitulée « Prends un verre de bière, mon minou » aux accents déchirants de la marche funèbre.

Après la mort de Ti-Draffe, le vieil homme, alors agé d'une vingtaine d'années, avait continué de travailler à son propre compte en incitant les villageois au plaisir des couleurs vives.

Il lui était arrivé, certes, de s'éprendre de quelques jeunes filles toutes plus jolies les unes que les autres mais l'amour, le vrai, n'avait point réussi à s'emparer de son coeur même si l'émotion parfois, telle ces fils de la Vierge qu'on dit échappés par une fée fileuse, avait bien failli à une ou deux reprises tisser autour de lui cette toile légère mais solide contre laquelle les jeunes gens opposent si peu de résistance. Son peu d'expérience en la matière lui avait néanmoins suffi pour comprendre par intuition que la passion amoureuse est un soleil qui peut bien sûr illuminer le monde mais qui, si elle n'est pas partagée ou si elle ne donne pas de ces enfants qui sont des bûches jetées dans l'âtre du destin pour continuer le feu de la vie, peut n'être qu'une grande flambée de paille et détruire à jamais un homme comme ces granges opulentes de fin d'août rasées au sol en moins d'une heure par la violence de l'incendie.

Aujourd'hui, à cinq milles de Nicolet, le Port Saint-François est une magnifique plage sur les bords du fleuve Saint-Laurent et de très nombreux chalets y ont été construits. A l'époque de la jeunesse du vieil homme, la presque totalité de cette région était la propriété des de Bellefeuille, ancienne famille de seigneurs qui y avaient une superbe maison d'été. Les de Bellefeuille avaient un garçon, Antoine, étudiant en médecine, qui était un ami d'Auguste et du jeune peintre en bâtiments. La plage, semi-privée, était donc ouverte aux jeunes gens de bonnes familles, et, tous les samedis et les dimanches de la belle saison, de même que les fins d'après-midi, sur semaine, Auguste et le jeune peintre s'y rendaient en bicyclette pour s'y baigner, arborant fièrement leurs longs maillots rayés de jaune et de rouge.

On était alors en 1927, le jeune peintre avait 25 ans et c'est ainsi qu'à la fin d'un de ces jours brûlants de mi-juin, ils sautèrent sur leurs bicyclettes pour se rendre par la route de terre jusqu'à la plage du Port Saint-François.

Le vieil homme, dans sa Ford, devenait de plus en plus nerveux. Quelque chose en lui se refusait à laisser remonter la suite de ses souvenirs. Mais il avait franchi au cours de la journée la rivière Susquehanna dont les dernières syllabes lui rappelaient le nom d'Anna, puis il était entré dans l'état du Maryland dont les deux premières syllabes contenaient le nom de Marie, et, de même qu'avec ses faibles mains de cancéreux il n'avait pu retenir plus longtemps sous la terre un soleil qu'il y avait maintenu prisonnier pendant trente-neuf années, de même il lui fut impossible, en proie à une sorte d'ensorcellement géographique qui s'évertuait à lui rappeler Anne-Marie, d'empêcher plus longtemps le plus merveilleux souvenir de toute sa vie de remonter comme un soleil et d'envahir tout son esprit. Il en fut aveuglé et dut ralentir pour ne pas quitter la route.

44

Car, lorsqu'Auguste et lui, en ce jour lointain de juin 1927, étaient arrivés sur la plage du Port Saint-François, ils étaient restés sidérés. Le soleil, qui à cette heure s'enfonçait habituellement sous les flots de la Grande-Rivière, le soleil en personne était là, assis, rêveur, sur le sable, vêtu d'une robe légère et verte comme la brise du soir. Et ce soleil était une jeune fille aux cheveux roux immenses déroulés jusque sur le sable et lorsqu'elle s'était tournée vers eux ç'avait été comme si le soleil lui-même, soudain, ayant révélé sa face cachée aux yeux de l'un de ses adorateurs, avait découvert pour lui le plus exquis visage jamais porté par une mortelle.

Le vieil homme, les yeux brûlés de fatigue et d'éblouissement, s'arrêta en Virginie, au motel Sun Rays près du village de Ladysmith, et s'y laissa tomber sur le lit.

Oui, ç'avait été comme si le soleil lui-même, s'étant retourné soudain aux yeux de l'un de ses adorateurs, lui avait révélé le plus exquis visage jamais porté par une mortelle. Anne-Marie. Le plus exquis visage. Anne-Marie. Anne-Marie. Le plus exquis visage et le soleil lui-même. Et le vieil homme, qui, tout le jour, avait lu sur des étiquettes collées sur les pare-chocs des voitures « Virginia is for lovers » , le vieil homme effondré sur le lit d'un motel près du village de Ladysmith s'abandonnait maintenant tout entier aux sortilèges qui l'avaient conduit jusqu'à cet endroit et semblaient devoir le diriger à rebours du temps vers le coeur même de son amour car, suprême magie du sort, l'Anne-Marie rousse de sa jeunesse s'appelait Anne-Marie Smith.

— Je m'appelle Anne-Marie Smith, avait répondu la jeune fille-soleil, les ailes de ses narines soulevées comme par un sauvage désir de vivre et ses joues toutes brillantes de grains de beauté ressemblant à des grains de maïs.

— Je m'appelle Anne-Marie Smith et je suis une petite cousine d'Antoine de Bellefeuille et je viens de Salem, en Nouvelle-Angleterre.

— Salem ? s'était étonné Auguste fort à son aise.

— Mais oui, Salem, avait-elle repris en riant, le pays des sorcières.

En d'autres temps, face à une jolie fille, une émulation de bon aloi se serait élevée entre les deux amis mais, dès qu'il avait aperçu l'étrangère, le jeune peintre avait compris que la partie pour lui était perdue. La partie était perdue parce qu'Auguste gardait tout son calme de doux séducteur tandis que lui, le jeune peintre amoureux du rouge depuis sa naissance, aimait déjà à la folie cet astre posé là devant lui sur le sable, cet astre pareil à la tête d'une belle jeune femme tournant vers lui le soleil fou de ses cheveux roux, cet astre qu'il avait jadis, et à tant de reprises, tenté d'attraper dans les filets flottants de son espoir et de son trop immense besoin d'aimer.

Il arrivait souvent à Auguste et au jeune peintre de passer la nuit au Port Saint-François dans une grande tente de l'armée appartenant aux de Bellefeuille et située à quelques centaines de pieds de leur maison d'été. Ils organisaient avec leur ami Antoine, les demoiselles Lafrenière, de Grand-pré, d'Auteuil et d'autres jeunes gens d'énormes feux de joncs sur la plage. Et toute cette charmante compagnie, enveloppée dans de chaudes couvertures de laine, passait une large partie de la nuit à chanter, à mugueter, à blaguer et à musarder en contemplant les étoiles.

Cette nuit-là, bien sûr, pour le jeune peintre, le soleil ne se coucha pas puisqu'Anne-Marie était là, riant, ses cheveux déployés comme tourbillons de flammèches autour du feu de grève. Et de toute cette nuit-là non plus, le vieil homme, effondré sur son lit de motel, ne parvint guère à dormir, les yeux fixés sur l'enseigne au néon du Sun Rays illuminée en rouge et représentant un grand soleil immobile dans le noir.

Fait relativement rare pour l'époque, les de Bellefeuille possédaient une automobile, une luxueuse Mc Laughlin décapotable qui faisait du cinquante à l'heure soulevant sur son passage poussière, frayeur et admiration. Les chevaux hennissaient. Les paysans regardaient bouche bée.

Habituellement, c'était Antoine, le fils de famille, qui reconduisait tout le groupe à Nicolet mais, cette fois-là, une grosse heure avant les premières lueurs de l'aube, ce fut Anne-Marie Smith de Salem qui, à l'étonnement général, sauta aux côtés de son cousin, prit le volant et fonça avec tous les amis jusqu'à Nicolet. Auguste et le jeune peintre avaient également profité de l'occasion ayant attaché leurs bicyclettes au flanc de la voiture.

Le jeune peintre fut le dernier à descendre parce qu'il habitait dans le « bas de la rivière », ce qui obligea la jeune fille à un détour. Le jeune peintre s'enhardit jusqu'à baiser la main de l'astre à cheveux roux puis il resta seul dans le jour vert qui allait commencer.

Quand un homme a conduit une automobile pendant près de quatre cent soixante et dix milles, ainsi que venait de le faire notre vieux malade, il a beau essayer de dormir, toute la nuit durant il entend vrombir le moteur de l'auto et il entend le sifflement du vent, le bruit des roues contre l'asphalte. Toute cette nuit-là, donc, le vieil homme entendit rouler une voiture étrange, une voiture qui finit par prendre, dans son délire, la forme d'une immense Mc Laughlin en or conduite par le soleil comme si le soleil lui-même, à bord d'une voiture en or massif et soulevant une poussière de rayons, avait acquis enfin le pouvoir merveilleux de parcourir et d'emplir de lumière et de chaleur, pour toute l'éternité, les routes terrifiantes du néant et de la grande nuit de l'existence.

Le troisième jour de son voyage imaginaire, tandis qu'infirmières et chirurgien s'affairaient autour de son pauvre corps rongé par le cancer, le vieil homme reprit l'autoroute 95 dans sa Ford déglinguée et pénétra en Caroline du Nord.

Tant qu'il le put, il s'efforça de s'abrutir ouvrant à plein rendement la radio de sa voiture qui l'assourdissait de hurlements bestiaux et d'une musique hideuse amplifiée par des guitares branchées sur des hauts-parleurs électroniques. Tant qu'il le put, il tenta d'empêcher la force rouge de remonter en lui telle un astre à l'aurore voulant répandre plein son coeur, comme une lumière, la délicieuse souffrance du souvenir. Pendant trente-neuf longues années, il s'était acharné à se convaincre qu'Anne-Marie n'avait jamais existé mais voici que son beau fantôme roux, de nouveau, voulait danser devant ses yeux mi-brûlés par la fatigue et l'éblouissement, devant ses yeux mi-brûlés mais fascinés par cette évocation comme les papillons par la flamme d'une chandelle, ses yeux mi-brûlés qui maintenant ne voulaient plus que revoir encore la figure tant aimée au risque même d'y détruire tout à fait dans le feu les ailes affolées de leurs cils.

Dans le ciel de la Caroline, les nuages livrèrent bientôt

place au soleil, mais la lumière ne servit qu'à mettre en évidence, impitoyable, la laideur et la pauvreté des masures rejetées, semblait-il, ici et là le long de la route pareilles à des rebuts d'autos rouillés. Des cabanes sans porte ni fenêtres, souvent, branlantes sur quatre piliers de blocs de ciment. Des plantations de tabac et de coton à l'infini. Des familles de Noirs assises, désabusées, sur les balcons des taudis.

Et c'est un paysage d'égale désolation que révélait, impitoyable, la lumière qui, peu à peu, irradiait dans le coeur du vieil homme accentuant l'extrême délabrement des tours, des ponts-levis et des créneaux des grands châteaux pourris du rêve écroulés sur les landes désertes de sa mémoire. Et c'est cela surtout qu'il se refusait à revoir, tandis que remontait du plus profond de sa jeunesse un beau soleil à rayons roux mal dégagé encore des taches noires de son désespoir.

Le vieil homme se regarda dans le rétroviseur. Il avait négligé de se faire la barbe et bien des rides lui donnaient l'air malade des quelques arbres qu'il apercevait le long de la route.

Mais il avait été très beau jadis, bronzé à force de travailler sur les toitures, le torse nu. Plus beau même que son ami Auguste un peu étiolé par les longues heures passées à fouiller dans les gros tomes qu'il devait assimiler pour ses études de Droit. Un peu plus prompt aussi, le jeune peintre à cheveux noirs d'alors, un peu plus rude qu'Auguste aux cheveux châtain clair. Plus habitué aux travaux manuels, le jeune peintre excellait au baseball, lanceur de première force, frappeur puissant à qui son club devait de remporter souvent la victoire grâce à deux ou trois home runs. Auguste, par contre, avait plus de souplesse, merveilleux joueur d'arrière au tennis, rapide dans son beau pantalon blanc, de la délicatesse aussi, de la douceur avec les femmes. Auguste était homme à laisser gagner Anne-Marie lorsqu'il jouait en simple contre elle. Le jeune peintre, au contraire, appréciait la remarquable habileté de l'étrangère et, bien qu'ébloui par le tourbillon roux de ses cheveux immenses déroulés jusqu'à sa jupe blanche de sportive, il s'amusait à lui rendre la partie difficile lisant dans ses yeux vifs tout le plaisir qu'elle prenait à remporter elle-même des points chèrement gagnés.

Il était beau alors, et les charmes différents des deux amis exerçaient d'ordinaire une égale attraction sur les jeunes filles de cette époque heureuse d'avant la grande crise économique.

Des liens pourtant, ténus mais perceptibles, s'étaient dessinés dès les premiers jours entre Anne-Marie et Auguste. Un samedi matin, après une nuit qu'Auguste et son ami avaient passée sur de petits lits de camp dans la grande tente de l'armée située sur la propriété des de Bellefeuille, un samedi matin car, toute la semaine durant — ce qui donnait à Auguste, en vacances, un réel avantage — le jeune peintre devait profiter de la belle saison pour manier le grattoir, la brosse d'acier, les pinceaux et abattre le plus de besogne possible, un samedi matin, vers les dix heures, Anne-Marie était venue gratter à la tente, avait dénoué les noeuds de la porte et, vêtue d'un petit ensemble de matelot lilas, avait pénétré dans la tente pour leur souhaiter un bon réveil.

Dans chacune de ses mains, cachées derrière son dos, elle portait un grand lys orange aux pétales picotés de points bruns comme ceux qui marquaient son nez fin et ses joues. Et elle avait remis à chacun des amis un lys orange. Le jeune peintre, trop ému, n'avait rien su dire tandis qu'Auguste avait trouvé des mots exquis, s'était levé en hâte, avait couru à l'extérieur, était revenu les mains pleines d'iris et de fleurs bleues de chicorée sauvage qu'il avait noués dans la chevelure de rayons. Et tout le jour, Anne-Marie avait porté ces fleurs comme des baisers bleus posés dans ses cheveux.

Le vieil homme, épuisé par les trois cent milles qu'il venait de parcourir sur les routes en mauvais état de la Caroline du Nord, pénétra en Caroline du Sud. Ayant décidé de prendre un peu de repos, il s'avisa de filer vers Charleston et vers la mer qu'il n'avait encore jamais vue et qu'il imaginait maintenant comme une immense fleur bleue dans la chevelure du jour.

Et ce changement imprévu de direction l'entraîna vers ce qui devait demeurer l'une des émotions les plus troublantes de tout son voyage. Il entra en effet dans la région si étrange des grands arbres couverts de mousse grise et blanche, de rideaux de mousse grise et blanche qui pendent, balancés par la brise, depuis les plus hautes branches jusqu'au sol.

Poussé par une main à laquelle il n'opposait aucune résistance, il prit par une route à peu près déserte qui, pendant une trentaine de mille, s'enfonçait entre deux rangs serrés d'énormes arbres faisant dôme et si chargés de mousses qu'ils cachaient presque tout à fait la lumière.

Et le vieil homme se mit à penser, bien malgré lui, qu'Anne-Marie, en ce moment même, devait être assise quelque part, dans un rocking-chair, ses cheveux roux immenses tout blanchis comme l'avaient été ceux de Rouge-Aimée, ses cheveux roux immenses tout enchevêtrés comme ces mousses aux longs cheveux de toutes les femmes mortes depuis le plus lointain des temps, ses beaux cheveux qui, malgré la superbe de leur pourpreur, avaient fini eux aussi par s'emmêler à tous ceux-là qui composaient désormais et pour l'éternité la chevelure de mousse blanche de la mort.

Pris de terreur, il accéléra, s'efforçant de croire qu'au-delà des cheveux blancs et moussus du temps, il allait accéder encore à la chaleur de la lumière.

Mais était-ce vers un au-delà de la mort qu'il filait ainsi ou bien vers un en-deça de la mort de son coeur ? Et ce soleil qu'il aspirait tant à faire surgir au-delà du chemin noir couvert de mousse, au-delà d'une mort contre laquelle il se défendait de plus en plus mal couché sur la table d'opération d'un hôpital des Trois-Rivières, ce soleil qu'il aspirait tant à faire surgir au-delà du chemin noir couvert de mousse était-ce l'intuition d'une sorte de paradis de l'amour qu'il commençait d'entrevoir ou un simple retour et refuge dans le souvenir des deux seules amours de sa vie, dans la grande boule rousse et chaude d'Anne-Marie et de Rouge-Aimée ? Et ce qu'on prend pour de l'espoir, pour un aperçu fugitif et merveilleux sur une vie future pleine de rayons n'est-il jamais qu'une remontée des instants les plus sacrés de notre passé ?

Lorsqu'il eut traversé la forêt noire à cheveux blancs du temps, le vieil homme franchit un petit pont et déboucha, en pleine lumière mauve de fin du jour, sur la petite île étrange d'Edisto, couverte de palmiers, aux plages jonchées de conques battues par les vagues énormes de cette mer que l'homme n'avait encore jamais vue.

Il loua pour la nuit un chalet plein d'araignées et de fourmis et qu'il lui fallut faire aérer car, à cette période de l'année, il y avait plusieurs mois que personne n'y avait pénétré. L'île d'ailleurs était pour ainsi dire abandonnée, livrée aux sifflements du vent et à ces frôlements mystérieux de femmes invisibles si caractéristiques des lieux de grande solitude.

Le vieil homme s'assit sur la véranda aux moustiquaires déchirées et regarda la mer.

Il se rappela les filets à flotteurs de liège qu'il avait jadis disposés, tout près de l'horizon, à la surface de la Grande-Rivière. « Il faut avoir l'âge, lui répétait son père, il faut avoir l'âge et puis il faut être habile. Il faut être très habile ». Il avait eu l'âge, la beauté, la force même mais il n'avait pas été habile. Il n'avait pas été habile car on ne l'est jamais quand on aime trop.

Une nuit, dans la tente de l'armée, au Port Saint-

François, il avait raconté à son ami Auguste l'histoire du morceau de soleil qu'on pouvait capturer sur les grandes eaux, et Auguste s'était mis à rire : « Anne-Marie n'est pas un soleil, s'était-il esclaffé, c'est une fille ordinaire, de vingt-deux ans, plus belle que les autres, je te l'accorde, et Américaine de surcroît ce qui l'auréole de pittoresque. Et puis, Américaine, c'est une façon de dire, son père est Canadien français, il a changé son nom, et sa mère seule est native de Nouvelle-Angleterre. Non, c'est une fille ordinaire et le premier de nous deux qui parvient à l'embrasser se fait payer une caisse de bière par l'autre, o.k. ? »

Le jeune peintre avait gardé le silence pendant un instant puis il avait ajouté : « Mais qu'est-ce que c'est que cette histoire de Salem et de sorcières ? Toi qui as des études, tu dois savoir des détails là-dessus ? »

Auguste, certes, avait plus d'instruction mais cette question le laissa hésitant. Il répondit pourtant, pour n'être pas en reste devant son ami : « Oh ! c'est très vieux, tu sais. Salem est une petite ville près de la mer, non loin de Boston, et vers 1636 on y a fait de grands procès pour sorcellerie à des jeunes filles rousses au nez picoté de grains de beauté qu'on disait possédées du démon parce qu'elles s'étaient mises à tourner sur place, les cheveux ébouriffés, et voulant brûler les gens, semble-t-il, en leur lançant du feu par leurs yeux. Enfin, c'est fou et c'est très loin mais toute cette région est restée marquée d'une sorte de halo d'étrangeté » .

Le noir venu, le vieil homme s'allongea sur un lit au sommier craquant et, toute la nuit durant, il lui sembla entendre en provenance des dunes des cris déchirants d'enfants abandonnés parmi les sables mouvants du temps, d'enfants entraînés là par l'illusion et puis abandonnés, abandonnés à une mort atroce par des sorcières rousses qui tournaient, vertigineuses, plein le ciel, comme des soleils fous.

Située à la fine pointe d'une longue langue de terre, la petite île d'Edisto, en Caroline du Sud, a l'allure d'une véritable oasis, bizarrement couverte de palmiers dans une région où s'enchevêtrent avec une luxuriance barbare les conifères noueux et les chênes ployés sous leur charge de mousses. Et si, la nuit, d'étranges frôlements laissent tout palpitant le coeur des personnes sujettes à l'insomnie et si des plaintes déchirantes, parfois, s'élèvent des dunes de quelque au-delà où errent des ombres en proie à l'inconsolable douleur d'avoir été ravies au monde des vivants avant d'y avoir pu connaître les délices tourmentées de l'amour, les jours, par contre, ont sur cette île un charme auquel le vieil homme, dès l'aurore, ne sut pas résister.

Epuisé par les centaines et les centaines de milles parcourus au cours des journées précédentes, il décida de demeurer à Edisto et de s'y reposer.

Il se rendit à une minuscule épicerie où il se procura de la bière, du pain, des viandes en conserve et où il acheta un livre intitulé *Ghost Tales of Edisto,* livre qu'il feuilleta rapidement intrigué d'y découvrir tant d'histoires d'amoureux et d'amoureuses des temps jadis noyés par des raz-de-marée, tués par des ouragans ou séparés par ces pirates qui sillonnèrent au cours des siècles derniers cette côte de l'Atlantique ; histoires d'amoureux et d'amoureuses dont les âmes, disait-on, n'ont pas cessé depuis de se chercher, la nuit, parmi les dunes déplacées par les vents et parmi les sables sur lesquels chaque vague sifflante efface les traces déjà bien légères de leur ancien séjour dans le monde des vivants.

Réjoui de sentir sur son corps la chaleur déjà bonne du soleil, le vieil homme revint s'asseoir sur le bord de cette mer qu'il n'avait jamais vue. Il s'émerveilla devant la quantité, la variété et l'énormité des coquillages accumulés par la houle, et une telle joie se dégageait, éclaboussante, de cette mer, que son esprit s'abandonna à l'allégresse de ce beau matin semblable à tant de beaux matins inoubliables et verts de sa jeunesse. Il lui sembla que chaque vague roulant des rires de petits cailloux déroulait sur la plage les formes fermes d'exquises jeunes filles nues bondissant vite parmi l'écume, dressant leurs seins luisants de sel, mais, fugitives comme la beauté des femmes et l'âge des amours, tout de suite dispersées haut dans le vide en miettes de lumière.

Des jetées délabrées aux piliers rongés lui rappelèrent le quai du Port Saint-François qui, à l'époque de sa jeunesse, au lieu d'avoir la puissante charpente de maçonnerie qu'on lui voit aujourd'hui, était tout entier construit en bois s'avançant dans le fleuve entre la plage et la propriété des de Bellefeuille. Que de nuits il avait passées, seul ou en compagnie d'amis, à contempler du bout de ce quai les étoiles reflétées sur l'eau. Que de beaux jours consacrés à la rêverie en fumant des pipes, en regardant glisser vers des pays lointains des bateaux orgueilleux comme de vieux marins au visage balafré par les tempêtes et aux yeux brillants encore de tant de merveilles admirées aux quatre coins du monde.

Le vieil homme s'ouvrit une bière, se prépara un sandwich et, brusquement, il se revit, à l'âge de vingt-cinq ans, en train de pique-niquer avec Auguste et Anne-Marie sur cette chaîne de roches qui forme une sorte de brise-lames à l'endroit où la rivière Nicolet se jette dans cet élargissement immense du Saint-Laurent appelé lac Saint-Pierre par les géographes et Grande-Rivière par les gens de Nicolet.

Le jeune peintre, à cette époque, possédait un long canot de dix-huit pieds qu'il avait pris l'habitude de laisser chez les de Bellefeuille. Les samedis et les dimanches, lorsque la température le permettait, Anne-Marie prenait place au centre du canot avec un sac de provisions, Auguste et le jeune peintre empoignaient d'une main ferme les avirons, et les trois amis remontaient le fleuve sur une distance de deux ou trois milles jusqu'à cette chaîne de roches où, parmi des centaines de goélands, ils passaient la journée à rire, à se baigner, à se faire dorer au soleil.

Anne-Marie et le jeune peintre, excellents nageurs, rivalisaient d'endurance sur des distances considérables et, lorsqu'ils revenaient, fourbus, s'allonger sur les sables entourant la chaîne de roches, Auguste les attendait, les bras chargés de fleurs jaunes de nénuphars, de fleurs blanches de sagittaires, des fleurs roses d'asclépiades qu'il déposait dans les cheveux, dans les mains, sur tout le corps de cette femme dont il subissait sans s'en rendre compte la séduction et devant qui le jeune peintre, figé par trop d'amour, ne savait que rester maladroit et muet d'adoration.

Ah ! c'est qu'ils avaient connu des heures bien charmantes, tout de même, au cours de cet été entier qu'Anne-

Marie avait passé au Port Saint-François. Et cette fois, donc, où ils s'étaient rendus tous trois en draisine jusqu'au village de La Baie, à dix milles de Nicolet. Ils appelaient « pompeur » ce petit wagonnet de chemin de fer parce qu'il leur fallait l'actionner à force de bras en appuyant de tout leur corps, à tour de rôle, sur chacune des extrémités d'une perche disposée comme le sont ces balançoires que se fabriquent les enfants en déposant une planche sur un chevalet. Ils s'étaient rendus jusqu'à La Baie pour participer à une joute de baseball à laquelle Anne-Marie qui ne les quittait jamais avait tenu à assister. Elle avait tenu surtout à faire la randonnée farfelue en pompeur et s'était amusée comme une folle, ses cheveux soulevés par le vent. La joute, comme à l'habitude, avait pris fin par une bagarre et, en fin de journée, les deux garçons, amochés, buvant des bières, fiers comme les Immortels, avaient refait en sens inverse, en pompeur, les dix milles qui les séparaient de Nicolet. Et toujours, Anne-Marie, qui les aimait tous deux, les suivait partageant leurs plaisirs.

Tant de souvenirs délicieux s'épanouissaient maintenant comme des fleurs dans l'esprit du vieil homme que sa figure, quelques instants, s'illumina rendue brillante par les volées d'embruns de la joie. La mer continuait ses rires de petits cailloux, et l'allégresse, en miettes de lumière et d'écume, scintillait dans l'air.

Un oiseau moqueur, soudain, le mockingbird, se posa sur l'un des piliers pourris d'une jetée et se mit à chanter. Ce bel oiseau à queue longue et blanche qui est, aux États-Unis, le symbole du Sud, imite en un concert délirant les chants d'une multitude d'autres oiseaux. Il ne chante pas deux fois de la même façon et s'exécute avec une gaieté folle qui lui confère l'allure de quelque oiseau magique échappé des légendes. Et le vieil homme, en l'écoutant, restait figé d'admiration car un oiseau comme celui-là, aussi beau, aussi fou, avait gazouillé dans son coeur pendant tout cet été inoubliable de sa vingt-cinquième année. C'était l'oiseau de son coeur fou d'amour qui chantait là, ressuscité, intarissable de liesse. Mais cet oiseau moqueur portait hélas trop bien son nom car, s'il avait tant enchanté, au cours d'un été tout entier, le coeur du jeune peintre, il s'en était aussi enfui, d'un coup, et s'était bien moqué de lui.

Les vagues continuaient leurs rires de petits cailloux mais l'allégresse de tantôt, éclaboussée en miettes de lumière, jaillissait maintenant en gouttelettes minuscules vite dispersées en toutes petites larmes dans le vide.

Des scènes charmantes, sans doute, s'étaient multipliées au cours de cet été, mais, dès la première semaine, Auguste avait commencé de prendre possession du coeur d'Anne-Marie.

Le vieil homme restait assis face à la mer mais chaque vague maintenant frappait en lui les coups violents de la passion broyant les coquillages délicats du rêve.

Moins d'une quinzaine de jours après l'arrivée de la jeune fille aux cheveux de feu, les deux amis l'avaient amenée à Nicolet pour voir la parade pittoresque de la Saint-Jean-Baptiste.

Tout y était nouveau pour elle qui n'avait jamais assisté à la fête des Canadiens français.

Le vieil homme restait assis face à la mer, et le soleil, même peu puissant d'un février de Caroline du Sud, grimpant rapidement vers le zénith, commençait de communiquer à son cerveau une légère fièvre qui lui permit de retrouver pour quelques instants un peu de l'atmosphère fébrile de ce jour de fête du 24 juin 1927.

La petite ville de Nicolet, alors mal séparée de la forêt, était un véritable jardin de fraîcheur. Les rues, bien sûr, n'étaient pas pavées et chaque maison, éloignée de la rue par une pelouse ou des massifs de pivoines et d'hydrangées, portait devant elle à la manière d'une collerette de dentelle une délicate clôture de bois qu'en ce jour d'euphorie on pavoisait en outre de petits drapeaux feurdelysés. Mais son charme si particulier, si Nicolet le devait en partie aux innombrables chênes, érables, peupliers, plaines et tilleuls parmi lesquels se camouflaient avec de délicieuses pudeurs de jeunes filles les jolies maisons de bois, elle le devait surtout à sa rivière d'où montait une constante fraîcheur et davantage encore aux gigantesques pins qui bordaient quelques-unes de ses avenues.

Or, c'est par la plus belle de ces avenues, appelée « les 40 », que la parade de la Saint-Jean faisait son entrée dans la petite ville. Pendant plus d'un mille et demie, les grands pins faisaient dôme au-dessus de cette avenue sur laquelle s'avançaient les premiers chars allégoriques évoquant de façon naïve mais émouvante les heures glorieuses du passé des Canadiens français.

Sur le premier char, un jeune homme coiffé d'un large feutre faisait revivre la figure légendaire de l'explorateur et coureur des bois Jean Nicolet mort noyé en plein lac Saint-Pierre et dont le nom avait été donné à la petite localité. Un second char montrait des colons peinant à abattre des arbres et à essoucher des terrains tandis qu'une vieille femme, actionnant du pied un rouet, démêlait en chevrotant des écheveaux de laine. Puis venait le char des martyrs canadiens sur lequel des religieux ensanglantés, portant des colliers de fers de haches chauffés à blanc, se tordaient de douleur attachés à des pieux. Puis c'était l'arrivée des Jésuites, la construction des premières habitations, les premières moissons, la bénédiction de la première église, l'érection du Petit Séminaire, le char consacré à Dollard des

Ormeaux, le héros sublime du Long-Sault, agonisant debout, l'épée d'une main, la croix de l'autre, au centre d'un fortin démoli, parmi ses dix-sept compagnons massacrés par les Indiens, agonisant debout face à d'abominables Iroquois brandissant tomahawks et s'approchant de lui avec des figures sadiques toutes striées de tatouages criards. Venait ensuite le char représentant la fondation de la première école : des bonnes Soeurs s'efforçaient d'y apprendre quelques rudiments de français à des petites sauvagesses aux grands yeux étonnés.

Tous les chars, bien sûr, étaient traînés par des chevaux et il n'était pas rare hélas que l'une des bêtes s'arrêtant net, dressant la queue, fientait avec outrecuidance une généreuse bordée de crottins fumants. L'événement cocasse était attendu avec intérêt par les enfants car, faisant suite à tous ces chars, s'avançait avec ses cuivres et ses tambours, au pas militaire, l'Harmonie Sainte-Cécile, et les gamins moqueurs pariaient sur les musiciens les plus distraits par leurs partitions, espérant le moment exultant où l'un des malheureux allait poser par inadvertance un pied dans le fumier glissant.

La parade faisait le tour de la petite ville et ce jour de liesse était un jour de légitime satisfaction pour l'organiste et maître de chapelle Edouard Hardy dit de Papillon car la tradition voulait que la fanfare y interprétât à plusieurs reprises les deux hymnes patriotiques qu'il avait composés rédigeant lui-même à la plume, pour chaque instrument, une feuille de musique dont il n'était pas toujours facile de déchiffrer les petites notes nerveuses.

Ecrits dans l'esprit d'une époque où l'enthousiasme tenait souvent lieu de goût, ces deux hymnes : le *Reviens*

Dollard et *Le Baiser de la Langue Française* avaient connu l'honneur insigne d'être inscrits au répertoire de La Bonne Chanson ce qui les élevait au niveau du folklore national, et si les paroles, qui étaient l'oeuvre d'un abbé médiocrement inspiré, faisaient maintenant sourire, avec le recul des années, le vieil homme assis au bord de la mer, la musique, elle, remarquablement soulevante et chantante, lui revenait en tête charroyant tout un flot d'émotions. Car l'originalité de ces hymnes consistait dans le fait qu'après les avoir interprétés avec toutes leurs clarinettes, trombones, triangles, tambours, tubas et trompettes plus ou moins discordants, les musiciens de la valeureuse équipe en entonnaient à pleine voix les couplets, couplets que le vieil homme, légèrement ivre de soleil, de bière et de souvenirs, ne put s'empêcher de chantonner accompagné par les conques et les buccins roulés dans l'écume qui sont les instruments éternels du grand orchestre de la mer :

« *Traits immortels de la Race Française,*
Pure auréole au front de mes enfants,
Avec émoi, souffrez qu'en vous je baise
Les nobles traits de tous mes descendants !
(...)
Et sur ta lèvre, en gage d'espérance,
Garde toujours, ô Peuple Canadien,
L'ardent baiser du Doux Parler de France,
Inspirateur d'héroïsme chrétien !
Verbe de Dieu, Jésus, Maître adorable,
Ami des Francs, qui régnez dans les cieux,
Sur Notre Langue, au parler délectable,
Faites briller des destins glorieux !

70

Que vos Enfants du Pays de l'Erable
Gardent toujours le Verbe des Aïeux ! »

« *Quitte à jamais l'immortelle tranchée,*
Reviens, Dollard, combattre jusqu'au bout,
Renouvelant ta sublime épopée.
Viens de nouveau guerroyer parmi nous ;
Toujours vivant, la poitrine criblée,
Comme jadis, viens combattre à genoux ;
(...)
Dans nos foyers, au sein de nos chaumières,
Reviens, Dollard, ... renais dans nos berceaux.
(...)
Brandis bien haut notre noble étendard ;
Et par la croix de ta puissante épée
Sois jusqu'au bout notre éternel rempart ;
Comme autrefois, — sentinelle avancée —
Sonne la charge, intrépide Dollard !
(...)
Viens de nouveau guerroyer parmi nous ;
Toujours vivant, la poitrine criblée,
Comme jadis, viens combattre à genoux ! »

La parade, finalement, fermée par la Mc Laughlin des
de Bellefeuille à bord de laquelle plastronnaient Messieurs
le Maire et les échevins, et par un dernier char portant sur
un trône le traditionnel petit garçon blond frisé, âgé d'environ six ans, qui représentait saint Jean Baptiste, le saint
patron des Canadiens français, s'arrêtait en fin de jour
dans la cour du Petit Séminaire dont la construction remontait aux premières années de 1800 et qui, énorme parmi

les gigantesques pins, tout bâti en pierres des champs, partageait avec le vieux Séminaire de Québec le privilège d'être l'une des deux plus belles réussites de l'ancienne architecture du Canada.

La nuit venant, des danses s'organisaient autour d'un très haut feu, le feu traditionnel de la Saint-Jean, et des pièces pyrotechniques s'échevelaient dans le ciel comme les chevelures coloriées de quelques fées folles partageant, évanescentes, l'allégresse des humains.

Tout à l'exaltation de sa mémoire, le vieil homme maintenant avait fermé les yeux pour faire un peu de nuit dans son esprit mais les sentiments s'entremêlaient en lui avec une confusion croissante, les plus vives images de son amour pour Anne-Marie se heurtant à des visions cruelles qu'il n'arrivait pas à chasser. Il était maintenant la proie de cette étrange détresse mêlée de délices connue des seules personnes dont la vie a été détruite par un grand chagrin d'amour. Un seul sujet les intéresse : entendre parler de l'être aimé, évoquer son visage, son corps, chacun de ses gestes, mais, à la moindre allusion faite à cette passion, leur coeur de nouveau se déchire. Et, phénomène mystérieux, cette douleur elle-même est presque un bonheur tant il est vrai qu'est plus heureuse en quelque sorte une vie tout entière ratée à cause d'un désastre du coeur qu'une vie dont aucune passion n'est venue troubler le cours monotone des heures et des jours.

Auguste, en cette nuit de la Saint-Jean, tout fier de sa jeunesse, de son pouvoir de séduction, et agacé sans doute par les fréquents accès d'indépendance d'Anne-Marie, s'était mis à danser, pour exciter sa jalousie, avec Elyse de Beaupré qui, compte tenu du caractère relativement sévère des moeurs de l'époque, scandalisait la petite ville par la liberté de sa conduite. D'une extrême beauté, ses longs cheveux noirs relâchés sur le dos, elle avait un amant, plus âgé qu'elle, et de mauvaises langues racontaient qu'ils avaient été vus déjà se baignant nus, en plein jour, à la chaîne de roches.

Anne-Marie, blessée par ce spectacle, avait foncé vers le jeune peintre et l'avait entraîné dans la mêlée joyeuse s'efforçant de rire avec éclat, balayant l'espace autour d'elle avec les flammes de ses cheveux, se sachant observée, étrangère, par tous les curieux. Puis, dans une saute de joie violente, elle avait voulu embrasser le jeune peintre sur les deux joues mais elle s'était reculée d'un pas, comme effrayée, balbutiant : « On ne regarde pas les gens avec des yeux comme ceux-là ». Incapable de soutenir un regard dévorant qu'elle n'avait pas aperçu avant cet instant, elle s'était éloignée en proie à un tourment trop profondément bouleversant pour qu'elle puisse continuer sa danse ostentatoire. Quelque chose de sacré lui était apparu au fond des yeux du jeune peintre, quelque chose qu'elle ne comprenait pas mais qui suffit à la remplir de remords à l'idée d'avoir profité, ne fût-ce qu'un moment, de ce garçon au regard plein de pureté sauvage pour tenter de blesser la vanité d'Auguste.

Le vieil homme, toujours assis face à la mer, ouvrant les yeux à tout l'étincellement de la lumière de midi sur les vagues, se débattait maintenant contre la nuit qu'il avait créée dans son esprit, mais tout cet étincellement ne put pas l'empêcher de revoir, dans la nuit, beaucoup plus tard, aux lueurs colorées des feux d'artifice et des flammèches échappées du brasier sur lequel on venait de déposer des branches de sapin, rien ne put l'empêcher de revoir en cette nuit déchirée d'étincelles Auguste et Anne-Marie, réconciliés, se tenant par la main et s'embrassant pour la première fois contre le tronc d'un pin.

L'étincellement même de la lumière sur les vagues n'arrivait plus qu'à raviver cet étincellement du feu de la Saint-Jean, cet étincellement d'un feu de joie immense sur lequel avaient été jetées puis réduites en cendres les belles branches de sapin fraîches du jeune arbre déchiqueté de son espoir.

Les vagues maintenant montaient comme à l'assaut de son délire, toutes chargées d'étincelles. Il se mit debout, chancela, puis cria au soleil : « Ne me regarde pas avec un oeil comme celui-là ! » car il semblait soudain que le soleil était, au zénith du ciel, l'oeil gigantesque de la joie du monde observant son désespoir, l'oeil gigantesque de la vie narguant la mort qu'il transportait en lui depuis trente-neuf années.

Puis, par un brusque renversement, bien en accord avec cet enchevêtrement d'exaltation et de détresse dont il était la proie, le vieil homme fixa de nouveau le soleil qui, cette fois, lui apparut, perdu dans l'immensité vide du ciel, perdu, tout seul, lui apparut être l'oeil immense et rouge de la douleur d'amour, tout seul, un grand oeil fou, au-dessus d'un océan de larmes versées, depuis le plus lointain des temps, par l'infinie tristesse humaine.

« Si notre pari tient toujours, tu me dois une caisse de bière, lui avait lancé, le lendemain, son ami Auguste ».

Et c'est en se répétant cette phrase obsessive que le vieil homme, étourdi par une légère insolation, quitta le bord de la mer pour s'aller jeter, vers l'heure de midi, sur le lit à sommier rouillé de son petit chalet.

« Tu me dois une caisse de bière », répétait Auguste, et le vieil homme, qui avait cessé de s'enivrer depuis l'âge de trente ans, ouvrit six, sept cannettes de bière qu'il avala d'un trait.

« Tu me dois une caisse de bière, mais rien n'est gagné avec cette fille. Elle est bizarre, capricieuse, farouche. Tiens, et cela dit sans vouloir te blesser, elle te ressemble. C'est vrai, c'est étonnant même comme vous vous ressemblez. J'ai gagné la première manche, mais la partie n'est pas finie, à toi de tenter ta chance maintenant si tu le désires. Je suis surpris d'ailleurs que tu m'aies laissé le jeu aussi facile avec elle ».

Anne-Marie, en effet, était d'un caractère difficile, imprévisible : un jour exubérante, un jour brusque, un jour inquiète manifestant des sortes de crises d'indépendance solaire, comme disait Auguste. Elle sautait alors dans la Mc Laughlin et fonçait à travers la campagne comme un astre sorti de son orbite, un météore flamboyant suivi d'une longue queue de poussière lumineuse.

Quand au jeune peintre, il lui arrivait parfois de quitter son travail, sans aucun motif, et puis de disparaître. Dans les bois. En canot sur le lac, avec un sac de provisions. On ne le voyait plus pendant deux jours, trois jours. On le disait sujet à de fréquentes insomnies auxquelles on attribuait ces accès d'anxiété. Cela le prenait habituellement les jours gris où le soleil se levait mal ou à l'approche de l'hiver lorsqu'il le voyait blanchir de semaine en semaine. Car si les ambitions démiurgiques de son enfance avaient perdu de leurs exigences puériles, le jeune homme demeurait terrifié par la fuite du temps, par la pâleur d'une vie qu'il avait jadis voulue rouge, et ses nuits étaient agitées de songes insensés qui donnaient à son caractère beaucoup d'inégalité.

Et si cet aspect sauvage l'identifiait en partie à Anne-Marie, il le distinguait tout à fait de son ami Auguste, le doux Auguste, la détente même, léger certes mais point enclin à la neurasthénie, tout charme, toute élégance, d'un savoir-vivre que lui enviait souvent le peintre, n'oubliant jamais ces détails qui plaisent tant aux femmes : les dates d'anniversaire, les fleurs, les bons mots ; content d'être jeune, content de la belle carrière qui se dessinait devant lui car il venait de terminer ses études de Droit.

« Tu me dois une caisse de bière », répétait-il en blaguant mais on n'aurait pas trouvé une once de méchanceté chez lui qui n'avait rien deviné de la passion sourde de son ami, ne voyant en lui qu'un rival curieusement paresseux, médiocrement intéressé, semblait-il, par la jeune Américaine, au point même qu'Auguste, excité d'ordinaire

76

par les filles poursuivies par le peintre, en arrivait par pé-
riodes à délaisser Anne-Marie au profit d'autres conquêtes
tant il s'expliquait mal une fascination qu'il éprouvait si
fortement mais que ne semblait pas partager son ami.

Et c'est en raison même de sa légèreté que ce butineur de jolies fleurs avait été une proie relativement facile
pour la petite sorcière de Salem qu'il croyait avoir séduite.
A vingt ans, chaque jeune fille, comme l'araignée fileuse,
est une merveille de la nature. Sans avoir jamais rien appris,
elle tisse tout à coup sa toile avec une perfection qui sou-
lève l'admiration de tous y compris habituellement de celui-
là qui s'y laisse prendre.

Brusque, dédaigneuse souvent à l'égard d'Auguste, Anne-Marie la rousse tissait sa toile à sa façon, en rompant sa-
vamment des fils que le jeune homme s'empressait de vouloir
renouer. L'ayant entretenu dans l'incertitude de son succès
auprès d'elle, elle était parvenue à retenir si bien son attention
qu'au bout de quelques semaines il n'avait plus eu d'égards
que pour elle seule. Et c'est ainsi qu'à la mi-août leurs
relations en vinrent à être considérées comme sérieuses par
les familles.

Or c'est à cette époque précisément, pour des raisons
dont n'arrivait plus à se souvenir le vieil homme : vérifi-
cations d'examens du barreau, diplômes..., c'est à cette
époque qu'Auguste avait dû se rendre à l'Université Laval
de Québec pour une semaine, laissant Anne-Marie seule
chez les de Bellefeuille.

Le vieil homme, qui venait d'achever sa huitième can-
nette de bière, ne tenait plus en place sur le grabat rouillé
où il avait espéré trouver quelque repos. Il bougeait sans
arrêt tandis qu'aux Trois-Rivières, pourtant, à l'hôpital où

l'on s'efforçait avec de plus en plus de difficultés de prolonger sa vie, il gisait roide, sans un soubresaut, son pauvre dos ouvert sur la table d'opération.

Le vieil homme se remit debout dans son chalet de l'île d'Edisto, tituba et sortit de nouveau dans le plein soleil de ce début d'après-midi. Dehors, sur le sable, face à la mer, la lumière et l'alcool jetèrent dans son coeur et son esprit une ivresse égale à celle qu'il avait éprouvée, à la mi-août 1927, après le départ soudain d'Auguste.

Il agitait les bras, se parlant à lui-même. Les larges palmes fouettaient l'espace semblables à ces balais qu'il utilisait pour nettoyer les surfaces à peindre, les pointes de leur feuillage étaient les griffes des brosses d'acier avec lesquelles il grattait la peinture écaillée ; le ciel, la mer étaient autant de toits, de murs, et, prenant le soleil pour un énorme seau de peinture, il cherchait une échelle afin d'y grimper, d'y tremper le pinceau de sa folie et d'en rougir le monde.

Auguste était parti un vendredi, mais le jeune peintre, trop bouleversé par l'idée de se retrouver seul avec Anne-Marie, avait fui pendant toute la fin de semaine, en canot, très loin, sur la Grande-Rivière. Et le lundi et le mardi, il s'était plongé avec ardeur dans son travail ne trouvant plus un moment libre pour se rendre au Port Saint-François. Il avait balayé, frotté, gratté, grimpé, peinturé avec une agitation à laquelle il demandait à la fois une fatigue abrutissante et le plus total oubli. Anne-Marie était l'amie d'Auguste, il avait des principes et pour rien au monde il n'aurait voulu profiter de cette absence; mais il avait surtout des craintes, des paniques à l'idée de ne pouvoir conserver plus longtemps une indifférence affectée avec succès depuis tant de semaines. Il sentait l'écorce de son coeur se fendre de partout. Il craignait d'éclater.

Le mardi, en fin d'après-midi, n'y tenant plus, il sauta dans son long canot de dix-huit pieds, mit une roche à la pointe avant pour faciliter la manoeuvre, descendit la rivière Nicolet, le fleuve et, de la même façon qu'il s'était rendu jadis au bout de la Grande-Rivière pour y capturer le soleil, il fila vers le Port Saint-François.

Parvenu près du quai de bois, il aperçut Anne-Marie, seule, vêtue d'une robe verte comme les feuilles et comme l'espoir, qui berçait son ennui sur une balançoire aux longs câbles attachés à la branche d'un chêne.

Le coeur du peintre se mit à battre avec tant d'inquiétude qu'il craignit de chavirer, fit demi- tour et, sûr d'avoir été vu, il accosta loin sur la plage et s'y assit, la tête dans les mains, pris de remords, complètement effaré par la violence d'une passion dont il ne savait plus être le maître et qui venait de le placer dans cette situation grotesque.

Il voulut remonter dans son canot, retourner à Nicolet mais il aperçut, là-bas, Anne-Marie qui se promenait distraitement sur le quai. L'avait-elle vraiment vu ? Il n'était pas trop tard peut-être pour filer en douce. Non, elle avait dû le voir et qu'aurait-elle pensé d'une pareille fuite ? Après tout, elle ne savait rien des tourments de son coeur. Il n'était pour elle qu'un bon ami et son comportement devait redevenir celui d'un bon ami.

Anne-Marie marcha longtemps sur le quai, s'attardant à contempler le ciel et l'eau, trop fière pour manifester sa joie de revoir le jeune peintre et très préoccupée surtout de démontrer qu'elle n'avait nul besoin de lui pour se distraire, qu'elle était parfaitement capable de se satisfaire à elle-même.

Elle descendit pourtant du quai, s'approcha lentement sur la plage et, ses pieds nus grattant le sable, elle se mit à tourner autour du jeune peintre qui venait de s'allumer une pipe de tabac fort pour se donner une contenance.

Soudain, se jetant à genoux droit devant lui, elle lui ébouriffa les cheveux à pleines mains criant : « Mais quel sauvage tu fais ! Où étais-tu passé ? Il était temps que tu viennes ; sans ça, demain, j'allais te chercher en auto ! »

Ils se regardèrent, éclatèrent de rire. Le jeune peintre

s'embrouillait à expliquer son absence par l'abondance des contrats. L'été, pour un peintre, était une saison en or, il ne devait pas perdre un instant car, lorsque venaient les jours froids, il lui arrivait de chômer pendant des semaines. Il devait faire tout son argent pendant l'été. « Je n'ai pas des parents riches, moi, qui me paient des études, des voyages, des vacances pour flâner sur des balançoires ».

Elle lui jeta du sable, lui cria : « Sauvage ! » Ils se poursuivirent quelques instants puis : « Au canot, dit Anne-Marie, allez, je ne veux pas entendre un mot de tes excuses. Allez, on fait du canot ! » Elle avait enlevé la roche, pris l'aviron, s'était assise à l'avant et, comme elle adorait pagayer, ils se rendirent très loin sur le fleuve tandis que s'ouvraient plein le ciel les pétales roses, orange et mauves de la fleur immense des nuages du crépuscule.

Et, pour la première fois de sa vie, en ce soir-là de la mi-août 1927, le jeune peintre glissa sur les eaux de la vie avec le soleil roux, enfin posé, éblouissant, à l'avant du canot frêle des plus incroyables rêves de son enfance.

La mer avait repris son rire de petits cailloux lançant des bulles d'allégresse aux yeux du vieil homme ivre assis sur les sables de l'île d'Edisto. Aveuglé par les reflets de la lumière sur l'écume et sur les vagues, il lui semblait que le soleil était une grande jeune femme rousse lavant ses cheveux dans la mer et secouant dans l'air, telles des palmes, sa chevelure de rayons mouillés.

Il était retourné le mercredi, le jeudi. Anne-Marie l'allait chercher en voiture à son travail, en fin d'après-midi, s'intéressait à ses pinceaux, à ses couleurs, à sa façon habile de peindre les fenêtres sans tacher les vitres, disait aimer les hommes capables de gagner leur vie avec leurs mains. Ils faisaient un détour par le « bas de la rivière » afin que le jeune peintre pût enlever chez lui ses vêtements de travail et faire un brin de toilette. Anne-Marie, intriguée par la vieille maison entourée de tournesols qu'il habitait, désirait chaque fois la visiter mais chaque fois il lui interdisait d'y pénétrer. Après quoi ils filaient jusqu'au Port Saint-François, faisaient du canot, se promenaient sur la plage et le quai. Le jeune homme couchait dans la grande tente de l'armée ; le lendemain, à l'aube, Anne-Marie venait l'éveiller avec des petits cris d'oiseau et le ramenait à Nicolet. Car, dès le mercredi, et pour la première fois, ils avaient eu l'occasion d'échanger quelques paroles sérieuses.

Ils s'étaient assis au bout du quai selon leur habitude pour regarder descendre le soleil. Le jeune homme fumait une pipe dont les volutes de fumée rose s'élevaient dans l'espace comme s'il eût été l'auteur des beaux nuages colorés et des prodigieuses forces de l'univers toutes soumises, en cet instant, à la fantaisie heureuse de son coeur dessinant sur le haut lit du ciel des enchevêtrements de bras, de mains, de chevelures.

Anne-Marie s'était levée pour marcher un peu puis, s'étant rapprochée, elle l'avait tiré de sa rêverie au moment où, à cause de la présence de la jeune fille à ses côtés, il en était à acquérir la conviction qu'il venait d'être élu parmi les dieux.

— Tu sais, avait-elle dit, je ne te pardonne pas encore de m'avoir laissée seule ici pendant tant de jours.

Il avait voulu l'interrompre en s'excusant de nouveau sur son travail puis il avait parlé d'Antoine : « Tu n'étais pas seule, il y avait Antoine, ton cousin, pour te tenir compagnie ».

— Antoine, Antoine, avait-elle rispoté, il se fiche bien de moi, tu penses. Il a sa fiancée et chaque seconde de sa vie lui est consacrée. Une cousine en vacances, tu penses s'il se fiche de moi. Non, il y a autre chose que tu ne veux pas me dire. Tu es si mystérieux, tu es gentil pourtant quand tu le veux.

Puis, après un moment d'hésitation, elle avait ajouté : « Je voudrais bien savoir pourquoi tu es toujours aussi distant avec moi, aussi fermé. Depuis déjà deux mois nous nous voyons souvent, nous nous sommes bien amusés ensemble mais je ne connais rien de toi et voici que soudain on dirait que tu me fuies ».

— C'est que, avait balbutié le jeune homme, fort mal à l'aise, c'est que, vois-tu, tu es l'amie d'Auguste et que, enfin... en son absence, vois-tu... je ne trouvais pas correct de ...

— Et c'est pour cela que tu n'es pas venu ? s'était-elle écriée, uniquement pour ça, c'est sûr ?

— Mais oui.

— Ah ! que je suis heureuse, que je suis heureuse ! Et elle dansait sur le quai, ses cheveux mêlés aux rayons du soleil qui se rapprochait des eaux. Que je suis heureuse ! Et moi qui croyais que tu me détestais, que tu avais quelque chose contre moi.

Il s'était levé d'un bond, tout tremblant : « Moi, te détester ? mais... mais... »

Puis elle l'avait interrompu : « C'est bête de se mettre des idées pareilles dans la tête, mais tu es si bizarre aussi. Et puis, même si je suis l'amie d'Auguste, est-ce une raison pour te sauver de moi ? je suis peut-être son amie mais je n'appartiens à personne, moi, je n'appartiens à personne. Je n'appartiens qu'à moi. Ah ! je suis si heureuse que tu ne me détestes pas ».

— Attends ! lui avait-il crié, et il était parti à la course, s'était rendu jusqu'à la tente, en était revenu, essoufflé, avec son sac à dos.

— Je ne sais pas si je devrais, ah ! et puis oui, tiens, je te la donne. Et il avait sorti du sac une grande fleur de tournesol qu'il lui avait offert en rougissant car maintenant qu'il la tenait entre ses mains, la fleur lui apparaissait gigantesque comme s'il eût sorti de sa poitrine, en pleine lumière, son coeur fou de passion .

Anne-Marie, à son tour, s'était mise à trembler d'émotion : « Mais tu ne l'avais pas apportée pour moi ? »

— Oui, avait répondu le jeune homme, mais je suis stupide comme ça ; je l'avais apportée pour toi parce que je savais que tu aimais les tournesols autour de ma maison mais quand je l'ai eu mise dans mon sac, je n'ai plus eu le courage de l'en sortir, et si tu ne m'avais pas parlé comme tu l'as fait, j'aurais laissé la fleur dans le sac et l'aurais déposée cette nuit sur le fleuve comme un soleil couchant afin qu'elle s'en aille au courant et qu'elle se perde vers la mer car je n'aurais pas pu jeter une fleur que j'avais cueillie pour quelqu'un … enfin, pour toi, pour te faire plaisir. Mais je n'osais pas, et j'ai peut-être eu tort et tu vas te moquer de moi peut-être car de quel droit t'offrirais-je une fleur ?

Puis, constatant la joie muette de la jeune fille, il s'était enhardi et s'était exclamé : « Ah ! après tout, maintenant qu'elle est coupée, aussi bien la donner à quelqu'un et puis, puisque tu n'appartiens à personne comme tu le dis, où est le mal ? Et puis, et puis si tu n'en veux pas, eh bien jette-la dans l'eau et qu'on n'en parle plus ».

Anne-Marie, pressant la fleur contre son coeur, s'était approchée, profondément intimidée. Elle avait murmuré, d'une voix presque imperceptible : « Que tu es gentil. Je suis folle de joie. Et j'ai presque envie de t'embrasser ».

Brusquement, elle lui avait sauté au cou, l'étreignant contre son corps puis, une seconde plus tard, elle s'en était détachée et s'était mise à danser face à l'astre de feu qui venait de disparaître sous les flots.

— J'ai l'impression, avait-elle crié au jeune peintre, depuis l'autre extrémité du quai, car elle avait pris beaucoup

de recul comme pour secouer d'elle dans le vent une émotion qu'elle refusait de laisser pénétrer jusqu'à son coeur,
j'ai l'impression que tu me donnes le soleil et que, ce soir,
pour moi toute seule, il ne se couchera pas.

Le vieil homme, ivre, toujours assis sur les sables de l'île d'Edisto, en pleine lumière d'après-midi, ne pensait plus qu'à celle qui avait été le soleil de sa vie. Il ferma les yeux pour oublier le spectacle de la beauté du monde et ne plus écouter rouler en lui que les houles énormes du destin, houles énormes qui pendant si peu de jours de sa longue vie avaient été empanachées des crêtes d'écume éblouissantes de la joie.

Le jeudi, en fin de jour, il avait emmené Anne-Marie cueillir des mûres dans une clairière qu'il était seul à connaître à l'orée d'un bois non loin du Port Saint-François.

La jeune fille avait couru partout cueillant autant de fleurs sauvages que de petits fruits noirs puis, après s'être bien piqué les doigts aux ronces des mûriers et avoir rempli de baies deux pleins casseaux, elle s'était arrêtée, interdite. Elle avait regardé ses mains teintes de jus pourpre. « On dirait que mes mains sont couvertes de sang », avait-elle dit.

Alors, s'étant assise parmi les fleurs et comme se parlant à elle-même, elle avait continué : « Mon père était un homme très passionné dont les exubérances n'étaient pas moins inquiétantes que les renfrognements subits. Il lui arrivait parfois de disparaître pendant des jours entiers et je crois qu'il a beaucoup fait souffrir ma mère avant de la quitter. Un jour, on ne l'a plus revu mais il m'a bien transmis son inquiétude. Depuis, et tu vas peut-être me trouver un peu folle, j'ai une peur terrible de l'amour, de tous les sentiments mais surtout de l'amour. J'ai peur de faire souffrir. Je ne voudrais pour rien au monde que quelqu'un souffre un jour à cause de moi. Et là, les mains pleines de sang, j'ai l'impression d'avoir arraché des poignées de petits coeurs et je voudrais presque recoller chaque mûre à sa tige ... Et puis j'ai peur aussi que des mains violentes viennent tout briser en fouillant mes feuillages intérieurs et qu'elles arrachent mon coeur et qu'elles le laissent là, dans ma poitrine, tout seul, broyé dans son sang rouge comme un fruit perdu, comme le fruit abandonné dans la poitrine de ma mère par les mains trop tourmentées de mon père ».

Le jeune peintre l'avait écoutée commençant à comprendre les bizarreries de son comportement.

Elle s'était levée et avait dit encore : « Auguste, lui, est très doux, mais il ne fouille pas bien loin dans mes feuillages intérieurs. Crois-tu qu'il m'aime vraiment ? » avait-elle demandé, les yeux soudain remplis d'angoisse et ses mains sanglantes pressant des fleurs blanches contre ses seins.

A l'heure du soleil couchant, ils étaient retournés s'asseoir sur le bout du quai de bois et Anne-Marie avait continué le mystérieux monologue commencé dans le champ de mûres :

— Depuis ma toute petite enfance, vois-tu, je ne dors à peu près jamais ...

— Moi non plus, avait laissé échapper le peintre.

— La nuit, je suis inquiète comme un soleil qui se demanderait s'il va remonter encore. Je suis hantée par la rapidité du temps.

Le peintre avait voulu parler de son enfance à lui, de son désir d'empêcher le soleil de descendre sous la nuit mais il n'avait pas trouvé les mots.

— Vois-tu, avait-elle repris, je suis dans une grande confusion ; il faudrait que quelqu'un ait besoin de moi comme on a besoin du soleil. Je suis un bien petit soleil avec mes longs cheveux rouges, et je ne serai pas soleil longtemps, je le sens, tout va si vite ; mais si au moins, tout petit soleil que je suis, si je brillais pour quelqu'un ma vie aurait un sens... Et pourtant, vois-tu, j'ai peur de m'enflammer vraiment, j'ai peur de me consumer vive, toute seule dans ma passion, comme ces sorcières de mon village qu'on a bien failli mener au bûcher jadis. J'ai peur du feu. J'ai peur de moi. Mais je ne pourrai pas vivre si personne n'a besoin de moi comme d'un soleil.

Le soleil, à l'horizon, avait presque disparu sous les eaux mais les deux amis ne lui avait accordé, ce soir-là, qu'une attention distraite.

— Auguste, lui, avait continué la jeune fille, n'a pas besoin de moi de cette façon et cela me chagrine bien un peu. J'hésite, tu sais, j'hésite beaucoup. Mais il m'apaise, il me rassure par sa joie constante, par sa détente. Je sais qu'il n'ira pas broyer mon coeur. Mais l'amour, c'est peut-être une flambée plus grande que cela. La passion folle, en tout cas, ça doit flamber beaucoup plus haut que cela. Mais la passion, ce n'est peut-être pas l'amour durable, paisible, celui que n'a jamais connu ma mère. Oh ! je ne voudrais pas souffrir comme elle... et pourtant... Crois-tu que nous serions heureux, Auguste et moi ? C'est ton ami, tu le connais bien, crois-tu que nous serions heureux ? ... Ah ! et puis je suis là à te raconter mille stupidités. Qu'est-ce que tu vas penser de moi ? Je n'ai jamais parlé à quelqu'un comme je viens de le faire avec toi, même pas à Auguste, surtout pas à Auguste. D'ailleurs, je ne voudrais pas qu'il me voie sous ce jour, il aurait peur de moi. Toi, ce n'est pas pareil, tu me ressembles, je sens que je ne te fais pas peur. Tu ne peux pas savoir comme ça fait du bien de pouvoir parler avec toi. Me trouves-tu très folle ?

Alors elle s'était tournée vers lui mais elle avait aperçu tant de feu dans les yeux du jeune peintre qu'elle avait eu un léger mouvement d'effroi.

Lui, incapable d'articuler un mot, criait dans la maison scellée de son mutisme et ses cris rebondissaient d'un mur à l'autre sans pouvoir trouver d'issue vers le dehors : « Mais tu es le soleil, criait-il comme un fou, mais tu es le soleil ! Et si toi qui es le soleil, tu t'inquiètes, la nuit, te demandant si tu vas remonter, imagine mon angoisse à moi, à moi qui suis dans la nuit et qui suis sans soleil au profond de la nuit ! Mais j'ai besoin de toi, moi, comme on a besoin du soleil ! Je ne peux vivre sans toi ! Je t'aime, Anne-Marie, je t'aime ! »

Mais aucun son n'était parvenu à franchir les murs de sa nuit intérieure, et Anne-Marie lui avait demandé, soudainement prise d'une étrange compassion : « Mais qu'est-ce qui se passe donc en toi lorsque tu me regardes avec des yeux comme ceux-là ? Et pourquoi n'arrives-tu pas à me parler en toute liberté comme je viens de le faire, moi ? Essaie, ça te fera du bien. Ouvre-moi rien qu'un petit peu ton coeur, je te comprendrais peut-être mieux que tu ne croies. Je suis ton amie, tu sais. Et j'ai beaucoup, beaucoup d'affection pour toi ».

Mais le jeune homme était resté là, debout devant elle, incapable de lui parler, incapable de lui toucher car cette femme, s'il l'avait prise entre ses bras, aucune force au monde n'aurait pu dénouer cette étreinte-là, et il est bien possible qu'ils eussent péri là, broyés l'un contre l'autre, tout couverts de sang rouge et de feu, tout pareils à l'astre qui venait de disparaître sous la nuit comme une mûre énorme écrasée par les mains du destin.

Le vieil homme ivre, toujours assis sur les sables de l'île d'Edisto, en plein après-midi, et bien que ne pouvant s'empêcher d'entendre la mer en joie frapper avec ses millions de petits marteaux de lumière le xylophone des coquillages, continuait de fermer les yeux au spectacle du monde pour ne plus concentrer son attention que sur l'image de celle qui avait été le soleil de sa vie, tant il est vrai que la contemplation de l'être aimé est à elle seule un univers alors que toutes les beautés réunies de la création demeurent impuissantes à combler un coeur privé de la présence de l'être cher.

Le vendredi apporta quelques moments de détente dans les relations si neuves des deux amis. Le jeune peintre n'avait pas sitôt rangé son escabeau, ses brosses et ses pinceaux que des nuages bleus avaient laissé tomber du ciel des gouttelettes de pluie ressemblant à des petites perles reliées à des fils invisibles.

Le jeune homme alors avait apporté son saxophone au Port Saint-François et la soirée avait été consacrée aux plaisirs de la musique. Tout le monde, à cette époque, touchait quelque instrument ou pouvait chanter quelques refrains capables d'apporter la joie dans une soirée. Anne-Marie, elle, qui avait des études, jouait du piano, et, chargée de l'accompagnement, elle s'étonna de la maîtrise à laquelle était parvenu le jeune homme dans le maniement de son saxophone. Il avait fourré un mouchoir dans le pavillon de son instrument pour « donner du nuage » aux mélodies. On commença par interpréter *La Cinquantaine, Le Cygne* de Saint-Saëns, un *Moment musical* de Schubert, un *Nocturne* de Chopin, *Humoresque, La Paloma, La Golondrina* puis, les doigts du peintre courant sur les clés comme ceux d'un amant fébrile sur le corps vibrant de son amante, tandis que les doigts de la jeune fille effleuraient les touches du clavier avec des caresses de femme enamourée, on passa aux succès américains alors en grande vogue : *Moonlight and roses, Fascination, Side by side, Stardust, I'm in the mood for love, Let me call you sweetheart, Girl of my dreams, Dancing in the dark, Dancing on the ceiling, Reaching for the moon, Hold me, The love nest, Paradise, What is this thing called love ?, Melodie of love, I can't believe that you're in love with me, Love is the sweetest thing.*

Enfin, unis par la musique et la course de leurs mains plus encore qu'ils ne l'avaient été jusque-là par l'intensité de leurs paroles et de leurs sourires, les deux amis s'allongèrent sur une magnifique peau d'ours blanc disposée par terre devant l'âtre où les doigts vifs du feu, pétillant de virtuosité sur les bûches de cèdre et d'épinette, en faisaient jaillir des triples-croches et des arpèges d'étincelles.

Mis en verve, ce soir-là, par la volubilité de son saxophone, le jeune homme causait avec aisance continuant en quelque sorte l'enchantement déjà créé dans la pièce par la voix à la fois discrète et si expressive du bel instrument. Inspiré par la peau d'ours blanc, il se mit à évoquer la neige, les balades en raquettes par les champs au clair de lune, les verglas où les arbres rendus transparents par leur revêtement de glace brillent comme du verre et semblent rendre, à la moindre levée de bise, les sons magiques d'un grand vibraphone effleuré par les maillets multicolores de la lumière. Il évoquait les matins de frimas où toute la nature devient fragile comme l'aile poudreuse d'un papillon blanc. Et lui qui, jusque-là, n'avait jamais aimé l'hiver, ne se rendit même pas compte que, parcouru de flammes par son amour comme les bûches l'étaient dans l'âtre, il répandait autour de lui tant de lumière qu'il communiquait au froid des vibrations de clarté semblables à celles qui sillonnent, sous la forme d'aurores boréales, les nuits les plus sibériennes des févriers et transforment le ciel en une sorte d'âtre immense où des bûches de glace sont parcourues des lueurs vertes, orange et roses d'un incompréhensible feu dansant dans le coeur même du Pôle.

Puis il parla des messes de minuit où beaucoup de gens se rendaient en traîneaux attelés à des chevaux tout couverts de clochettes. Les messes de la mi-nuit de Noël, à Nicolet, créées par la baguette magique du père Papillon, prenaient, en ces années, l'allure de féeries. On y voyait des crèches vivantes, un vrai bébé représentait l'Enfant Jésus, des bergers circulaient parmi les bancs avec de vrais moutons, les meilleurs chantres de la région y déployaient comme des paons tout l'éventail de leurs vives couleurs vocales, des cortèges d'adolescents en tuniques roses et portant des ailes glissaient dans le choeur avec des légèretés d'anges, et le père Papillon lui-même, improvisant à l'orgue parmi tous les musiciens de l'Harmonie Sainte-Cécile auxquels s'étaient jointes des jeunes filles blondes portant violons mais qui semblaient frotter l'archet sur les cordes d'or de leurs cheveux, le père Papillon apparaissait, en ces nuits-là, comme quelque Séraphin, préposé aux musiques célestes, et descendu quelques instants parmi les hommes afin de leur donner un avant-goût des concerts ineffables de l'au-delà.

Le jeune peintre devait, note par note, au père Papillon sa maîtrise du saxophone et il en parlait maintenant avec un tel enthousiasme que les deux amis, saisis soudain d'une idée folle, décidèrent de foncer en voiture pour lui rendre une visite. Anne-Marie, d'abord fascinée, hésita, mais le peintre sut la convaincre. Il connaissait les habitudes du musicien : couché chaque soir à onze heures, il se levait chaque matin à cinq heures pour chanter les messes. Hiver comme été. Neuf heures n'avaient pas encore sonné, il était donc certain qu'on ne pouvait le déranger beaucoup.

En quelques minutes, il furent devant sa maison. Une gêne subite s'empara d'eux au moment de frapper à la porte au-dessus de laquelle était suspendue une grande lyre de bois doré mais ils osèrent et Joséphine, l'épouse du compositeur, vint leur ouvrir. La vieille dame était d'une telle beauté dans sa longue robe frangée de dentelles qu'elle semblait quelque fée sortie des légendes. Le père Edouard, lui, penché sur sa table de travail, copiait des partitions pour la fanfare. Il se leva et, en quelques secondes, sut mettre tout le monde à l'aise par son air de ravissement et par de petits verres d'un vin de trèfles mauves que sa dame et lui fabriquaient chaque été en juillet.

Il expliqua à Anne-Marie, intriguée, l'usage de ses multiples plumes à musique : les curieux tire-portées, les pointes larges pour dessiner les notes rondes, d'autres pour les quadruples-croches, d'autres pour les clés.

Puis la dame-de-dentelle, qui crochetait un châle, tint à en dévoiler à la jeune fille toute la complexité des points. Elle avait fabriqué des nappes, des « petites pattes de bébés », des centres de table, des courtepointes, des jetées composées d'innombrables petits carreaux aux couleurs variées qui transportèrent d'admiration Anne-Marie si peu habile aux délicatesses de la broderie et à tous ces menus travaux de femme.

Puis la dame s'émerveilla des cheveux roux de la petite Américaine. Elle dit : « Tu permets, Edouard ? » et elle dénoua son chignon qui révéla d'immenses cheveux blancs déroulés jusqu'à ses reins. A Anne-Marie qui s'informait, confuse devant la splendeur d'une telle toison, de la couleur ancienne de ces cheveux, la dame répondit : « Ils étaient châtain clair comme ceux d'Edouard. Rien ne nous a jamais différenciés vraiment, et la neige des années s'est posée presque en même temps, aussi, sur nos têtes ».

Les deux vieux les introduisirent ensuite au salon, allumèrent une lampe à l'abat-jour garni de petites perles multicolores enfilées dont la lumière fit sortir de l'ombre de grands portraits ovales d'ancêtres. Le plus petit représentait le père du père Papillon, cheveux tombant sur les épaules, barbe déroulée jusqu'à la taille, regard de lion, debout, une de ses mains tenant un violon, l'autre main posée sur l'épaule de son épouse discrètement assise sur un petit fauteuil de rotin. Deux grands portraits ovales faisaient revivre les traits, l'un du patriache, l'autre de sa discrète épouse. Et c'est en présence de cet auditoire d'outre-tombe que les deux hôtes s'installèrent au piano et commencèrent à jouer à quatre mains des airs joyeux de leur jeunesse.

Puis le père Papillon ouvrit une large boîte d'où il sortit un xylophone de bois luisant sur lequel il laissa danser les maillets vifs de sa fantaisie tandis que Joséphine l'accompagnait au piano. Enfin, le musicien alla chercher dans un angle du salon des pièces de bois qu'il assembla en en disposant deux debout sur des pieds et deux horizontales auxquelles il suspendit des bouteilles remplies d'eau colorée. Ce jeu de bouteilles était l'une de ses créations et, à chaque fête locale, il était appelé par la population à en jouer en public.

Le père Papillon, connu pour la subtilité de son intuition, connaisait bien son monde, lui toujours présent aux noces, aux funérailles, aux fiançailles et aux baptêmes. Aussi s'efforça-t-il de ne montrer aucun étonnement d'une joie qu'il lisait dans les yeux d'Anne-Marie et qu'il n'était pas normal d'y voir briller avec tant d'éclat en compagnie d'un autre garçon que cet Auguste dont les villageois avaient déjà fait son fiancé. Le père Papillon d'ailleurs avait toujours éprouvé beaucoup d'affection pour ce jeune peintre qui avait si rapidement appris le saxophone, son instrument préféré, et il ne put s'empêcher de favoriser à sa façon des instants d'un bonheur dont sa longue expérience lui laissait pressentir la fragilité. C'est pour cette raison qu'il avait sorti son jeu de bouteilles et qu'il se mit à y interpréter de belles mélodies du folklore canadien s'amusant à les entremêler en des improvisations que s'efforçait de suivre avec allégresse au piano d'accompagnement la dame-de-dentelle habituée aux capricieuses inventions de son vieux magicien de mari. Il joua *La grand'd'mande, Mes souliers sont rouges, Au clair de la lune, J'ai tant dansé ;* il invita les jeunes gens, mis en joie, à chanter avec son épouse et lui des bribes apprises dès l'enfance des couplets et refrains d'*A la claire fontaine, Nos souvenirs, Il faut croire au bonheur :*

> « *Pourquoi rester morose*
> *Devant les prés en fleurs*
> *Puisqu'il y a des roses,*
> *Il faut croire au bonheur !* »

> « *Les souvenirs de nos vingt ans*
> *Sont de jolis papillons blancs*
> *Ils repartent, vont faire un tour*
> *Mais il nous reviennent toujours.*
> *(. . .)*
> *Les souvenirs des jours heureux*
> *Sont de jolis papillons bleus.*
> *(. . .)*
> *Les souvenirs de nos amours*
> *Sont des papillons de velours.* »

> « *Il y a longtemps que je t'aime,*
> *Jamais je ne t'oublierai.* »

puis il entrelaça quelques mesures de *Chagrin d'amour* sans insister, avec finesse, à l'hymne national des Etats-Unis d'Amérique avec lequel il termina, en hommage à la belle étrangère, son concert enchanté.

— On m'a souvent taquiné sur mon nom, dit-il, à la fin, tandis qu'on dégustait un dernier verre de vin de trèfles mauves, mais j'ai toujours trouvé que mon nom était le plus beau qui soit et celui qui me convenait le mieux. Ma femme et moi, nous avons toujours vécu en papillons, de l'air du temps, pas riches, mais le bec sucré de pollen jaune. Certes il y a bien eu des jours de vents dangereux pour nos ailes mais nous avons surtout le souvenir de jours de grande lumière, de fleurs, la musique merveilleuse de la beauté du monde autour de nous. La vie, pour nous, a été une fleur, avec quelques épines, mais une fleur où nous nous sommes enivrés — sans excès ! — du nectar du bonheur. Et lorsque le bon Dieu nous a fait cadeau de nos cinq enfants : « Ce sont des petits papillons, ai-je dit chaque fois à Joséphine, ce sont des petits papillons que nous lançons de par le monde ». Le vieil enchanteur s'exprimait ainsi avec une poésie du langage qui lui était toute aussi naturelle que la musique dont il avait appris quelques rudiments avec son père mais qui, pour l'essentiel, s'épanouissait en lui à l'état de pur don.

Lorsque les deux jeunes gens se retrouvèrent dehors, la lune, qui approchait de son plein, venait de se ménager une issue dans le ciel sombre et les nuages maintenant l'entouraient d'une sorte d'abat-jour de soie relié à la terre par la garniture fine des perles enfilées de la pluie.

— Jamais, dit Anne-Marie, je n'ai vécu d'heures aussi charmantes. J'ai l'impression de sortir d'un nid de papillons.

Et dans son coeur les sons cristallins du jeu de bouteilles se transformaient en petites fleurs de verre toutes semblables à celles qu'avait évoquées le peintre lorsqu'il lui avait parlé des transparences musicales du verglas. La vieille dame ouvrait ses longs cheveux comme des ailes de dentelle, et le vieil Edouard voltigeait dans la lumière avec de grandes ailes de musique pailletées de notes qui, devenant autant de taches de couleurs, leur conféraient l'aspect de cette admirable jetée brodée par sa dame avec des carreaux innombrables et multicolores.

— Un nid de papillons, avait murmuré le peintre. Voilà comme je voudrais vivre plus tard, voilà comme je rêve ma vie lorsqu'il m'arrive de m'imaginer marié. Voilà comme je voudrais vivre.

Et la jeune fille, toute encore à l'enchantement de cette soirée, n'avait pu s'empêcher de lui prendre une main et de serrer très fort, attentive toutefois à ne pas quitter le volant de l'automobile lancée dans la nuit.

Plus tard, lorsqu'elle eut revêtu sa jaquette rose au col et aux poignets de dentelle, elle se rappela les anges légers des messes de minuit, et des créatures ailées, descendues d'un ciel d'où s'échappaient des harmonies de luths, de harpes, de xylophones, de violons, de saxophones et de pianos, planèrent évanescentes comme le songe au-dessus de son lit. Soudain, elle aperçut deux papillons qui déroulaient leurs trompes roses pour puiser le nectar d'une même fleur et cette vision la fit sourire lui rappelant qu'en son enfance il lui était arrivé de boire ainsi, avec un petit amoureux, chacun plongeant sa paille, au même grand verre de milk shake. Puis l'un des papillons révéla des traits qu'elle reconnut être les siens tandis que les traits de l'autre, demeurés d'abord confus, finirent par se préciser pour composer la figure du jeune peintre.

— Que fait donc Auguste ? s'écria-t-elle prise soudain de désarroi. Ah ! c'était une autre sorte de butineur celui-là. Et il ne rentrera que lundi ? Qui donc le retient si longtemps là-bas ? Violemment jalouse, elle l'imagina dansant avec des jeunes femmes élégantes aux ailes peintes de couleurs trompeuses qui tentaient de l'éblouir et de l'entraîner vers leurs nids. Sa chevelure à elle était pourtant une aile autrement vive avec laquelle elle se voyait volant à toute allure jusqu'à ces salles de bals et mettant le feu aux ailes de ses rivales. Et puis tant pis, s'il s'amusait avec d'autres, elle se divertirait avec le peintre. Mais cette intention n'eut pas aussitôt pénétré en son esprit qu'elle la chassa comme une pensée sacrilège. Oh! non, il n'était plus question de distractions avec son ami peintre, c'était bien autre chose maintenant; elle en était à vivre avec cet être si sauvage les plus beaux moments de sa vie, les plus inattendus, les plus intenses, les plus en accord avec les rêves d'amour de sa petite enfance.

Mais qu'attendait donc Auguste pour rentrer? Elle souhaita son retour pour le lendemain, pour tout de suite même avant qu'il ne fût trop tard. Elle se revit assise et crochetant un châle parmi des fleurs de lumière, assise dans un nid de papillons, ses lèvres étaient toutes sucrées de pollen jaune, tandis que la couvrait avec de grandes ailes de tendresse le jeune peintre au beau sourire éblouissant comme les fleurs sonores du jeu de bouteilles colorées. Puis elle secoua son rêve dont la fragilité aérienne fut toute déchirée. Revenue, un instant, à la réalité, il lui sembla évident que le vieux musicien si doux ressemblait bien davantage au fond à Auguste qu'au jeune peintre. Jamais ce pauvre jeune homme n'atteindrait à une telle sérénité. Mais elle? elle-même? si tourmentée? si rousse? si pleine de feu? lui était-il possible de se reconnaître dans la vieille dame-de-dentelle aux cheveux jadis châtain clair? N'était-elle pas en proie aux mêmes anxiétés que le peintre, n'aspirait-elle pas, elle aussi, à une impossible béatitude dont elle demandait à Auguste la réalisation? Et si jamais, jamais elle ne devait atteindre à ce rêve impossible, pourquoi

donc alors tant hésiter à suivre les chemins inquiétants de
sa vraie nature ? pourquoi ne pas foncer de plein vouloir
dans ce feu pour lequel de toute évidence elle était faite ?

Profondément bouleversée, elle se rendit compte qu'elle
s'était attachée au jeune peintre pendant tout l'été parce
qu'il était en quelque sorte une réincarnation de son père :
mêmes yeux dévorants, pleins d'angoisse, de sentiments trop
intenses pour être exprimés et peut-être pour être vécus.
Car tel avait été son pauvre père en proie à un rêve d'amour
impossible à réaliser sur cette terre. Mais ce grand rêve-là,
il le lui avait bien transmis, elle en était constamment tor-
turée et c'est à le tuer en elle qu'elle s'efforçait avec tant
de difficulté. Elle s'était attachée à Auguste par peur du
peintre et par peur d'elle-même, pour ne pas tomber dans
le piège où avait péri sa mère ; elle s'était attachée de plus
en plus à Auguste à la fois pour cette raison et parce qu'elle
avait l'impression d'être inintéressante aux yeux du peintre.
Auguste, en somme, la protégeait tout en lui permettant
de vivre à proximité d'un être brûlant qu'elle aimait comme
elle avait aimé son père. Elle était un grand papillon roux
volant tout près du feu mais retenu par la main calme et
sûre d'Auguste. Mais voici qu'elle se retrouvait seule avec
cet être de feu et qu'elle y découvrait ces charmes qu'elle
avait toujours pressentis sous les dehors inquiets de son
père, car son père aussi procurait souvent à sa mère des
moments d'exquise fantaisie apparentés à ceux qu'elle venait
de vivre avec le jeune peintre.

Soudain, les vieux portraits poussiéreux du salon des
musiciens devinrent des ailes ovales. La vie d'Anne-Marie
était un corps fragile de papillon emporté dans le ciel de
son avenir mais le corps d'un papillon monstrueux, papil-

lon à trois ailes ovales en forme de portraits dont l'un représentait Anne-Marie elle-même, le second Auguste et le troisième les traits passionnés du peintre. Et la jeune fille, en proie à la plus absolue confusion, poussa un tout petit cri dans la nuit.

Quant au jeune peintre, allongé dans la grande tente de l'armée, il n'avait pas sitôt fermé les yeux que le sac de couchage dans lequel il s'était pelotonné prit la forme soyeuse d'un cocon dont il sortit resplendissant dans la lumière. Il s'éleva dans le ciel et aperçut un autre papillon, merveilleux celui-là, qui était le soleil avec deux ailes. Mais plus il s'approchait et plus il découvrait que le soleil avait les traits d'Anne-Marie. Ses cheveux roux immenses lui donnaient des ailes que les grains de beauté de son nez et de ses joues pailletaient de petits points noirs ce qui lui conférait l'allure de ces beaux papillons roux qu'on voit planer de fleur en fleur, l'été. Il s'approcha plus près encore et leurs deux corps se mêlèrent pour n'en former plus qu'un. Ils étaient devenus les deux ailes immenses et rouges du papillon-soleil. Les grains de beauté d'Anne-Marie tombaient comme des graines sur le sol y faisant aussitôt pousser des myriades de fleurs rouges, et, quant à eux, soulevés par le vent de l'amour, ils donnaient naissance à de tout petits oeufs qui eurent bientôt fait d'éclore et de remplir le ciel, la terre et l'univers et tout le vide de petits papillons roux.

Il avait été décidé par le jeune peintre que la journée du samedi serait consacrée partie à une petite croisière partie à une balade en bicyclette. Aussi furent-ils ravis lorsqu'à l'aurore, éveillés par les ébats et les voix craquantes des ménates bleus se pourchassant de branches en branches, les jeunes gens constatèrent que le soleil avait repris sur la pluie des droits qu'il entendait conserver tout le jour.

Vers les huit heures, faisant fi comme à son habitude de toutes conventions mais davantage encore pour ne pas secouer trop vite la poudre de ses rêves colorés de papillons, Anne-Marie se rendit dans sa robe de nuit rose à col et poignets de dentelle gratter à la porte de la tente tout en imitant le chant de cascade du carouge, ce bel étourneau à ailes tachées de rouge si caractéristique des rives du lac Saint-Pierre. Et, les deux amis prenant le petit déjeuner sur le sable, le jeune homme eut l'impression exquise de casser la croûte en compagnie de l'un de ces petits nuages roses flottant mal éveillés encore dans le ciel matinal.

Puis ils coururent faire leur toilette et, dès dix heures, ils étaient sur le quai, prêts à prendre place, avec leurs bicyclettes, sur le Jean-Nicolet, menu bateau qui, chaque jour, reliait pour le plaisir des estivants la petite ville de Nicolet, le Port Saint-François et la ville plus considérable

107

des Trois-Rivières. Cette avant-midi-là, il arrivait, fumant, des Trois-Rivières et deux hommes de bord, après avoir jeté des câbles autour des bittes, s'empressèrent galamment de faire passer sans danger les demoiselles sur la passerelle.

Le jeune homme, rasé de près, portait un veston blanc, un pantalon blanc, des souliers blancs et relevait fièrement la tête qu'il s'était couverte pour la circonstance d'un léger canotier. Anne-Marie, elle, avait revêtu une robe d'un vert très tendre à taille basse et dont le bas, juste au-dessous du genou, s'ouvrait en éventail discret. Elle s'était coiffée d'un grand chapeau de paille fine orné de deux rubans également verts qui flottaient sur son dos.

Les douze passagers, qui étaient tous ou à peu près des jeunes gens, n'avaient d'yeux que pour elle, et il sembla au peintre qu'en ce matin sacré entre tous une sorte de rivalité venait de se créer entre d'une part le ciel vert, le fleuve aux eaux vertes et la toilette vert tendre d'Anne-Marie et d'autre part entre le soleil dans toute sa superbe et l'immense chevelure dénouée de la jeune fille rousse. Et ce fut comme si, en ce jour unique, il lui eût été donné de jouir à la fois de deux Anne-Marie ou de deux ciels, deux fleuves et deux soleils aux boucles de rayons.

Mis en verve par la détente qui maintenant régnait entre eux, le jeune homme expliquait à son amie les goélands, les sauts de carpes, les rives couvertes de joncs verts à l'infini et toutes les merveilles rencontrées lorsqu'on pénétrait en canot dans cette zone sauvage : canards avec leurs petits, outardes, tortues, sarcelles, pluviers, écrevisses, sangsues, fleurs de nénuphars, fleurs blanches de sagittaires, fleurs roses de salicaires, fleurs mauves au parfum de lilas de l'asclépiade qui se transformaient à l'automne en soies

108

immaculées transportées par le vent, hérons, couacs, oua-ouarons, libellules bleues, papillons jaunes, rats musqués, carouges menaçants si l'on approchait de leurs nids et ces cocasses poules d'eau, toutes noires, aux pattes mal palmées qui ricanaient en s'enfuyant comme des sorcières.

Le Jean-Nicolet poussa une pointe à plus d'un mille sur la Grande-Rivière et les passagers, perdant de vue presque trois rives sur quatre, éprouvèrent pendant quelques moments l'impression de voguer en haute mer. La brise délicate, par bonheur, ne soulevait aucune vague mais le lac Saint-Pierre, en son immensité, respire constamment tel une poitrine verte, en sorte que le petit bateau chargé de jeunes gens joyeux était doucement bercé comme la jeunesse du monde elle-même, à l'origine des temps, sur le ventre de mère de quelque divinité marine.

Le ciel maintenant était d'un bleu pur garni de deux petits nuages ronds, tout seuls mais se touchant presque. « On dirait deux immortelles » commenta le peintre qui expliqua à Anne-Marie la présence, dans certaines clairières, de ces toutes petites fleurs blanches possédant la qualité remarquable, après qu'elles ont été cueillies, de conserver intacte et pour toujours, bien que séchée, leur beauté d'un instant de vie.

Puis le Jean-Nicolet, longeant la chaîne de roches, pénétra dans la rivière Nicolet dont il se mit à remonter le courant et, presqu'aussitôt, les deux amis aperçurent sur la rive gauche la vieille maison habitée par le peintre. Très fier, celui-ci la montra dans la lumière, entourée de sa large galerie et toute peinte fraîchement en jaune, ouvrage qu'il venait de terminer ces jours derniers. Anne-Marie, ravie de tant de couleurs, poussa un petit cri d'étonnement joyeux en découvrant une partie de la toiture que son ami avait à peine commencé à recouvrir de peinture rouge. « Oui, dit-il, soudain très nerveux, je vais peindre tout le toit en rouge en souvenir de ma mère et peut-être aussi à cause de... » Il ne put continuer sa phrase mais, en revanche, c'est toute son enfance étrange qui lui remonta aux lèvres et Anne-Marie, si curieuse de connaître le passé d'un compagnon si cher mais si fermé sur son monde intérieur, demeura bouche bée devant cet étalage soudain d'images comme si le jeune peintre eut ouvert devant elle et pour elle seule le coffre aux trésors enfoui dans les profondeurs de son coeur.

Elle sut tout. Son apprentissage avec Ti-Draffe, leur allégresse de moineaux au bord des toits, puis cette mystérieuse folie du rouge à laquelle il avait été en proie dès sa petite enfance, les boîtes de carton coloriées en rouge dans lesquelles il s'enfermait à la venue de l'hiver, son angoisse à la chute des feuilles d'octobre, les grandes feuilles de papier barbouillées de rouge disposées sur la neige ; puis Rouge-Aimée, sa mère, à qui son père s'amusait à dire : « Attention, Rouge, tu vas mettre le feu partout » ; sa sensation atroce d'abandon lorsqu'il voyait tomber le soleil sous l'horizon ; son père semant des tournesols pour remplacer le soleil par des tas et des tas de soleils ; le soleil de laine rouge crocheté par sa mère ; enfin, la mort étrange de son père, la jalousie de sa mère invectivant le soleil que son père avait appelé la « Grande Rousse », puis la mort de sa mère dans le feu. Toute son enfance avait été dominée par le désir de capturer le soleil, et son père, qui probablement partageait en partie sa folie, l'avait souvent emmené en barque jusqu'à l'horizon. Et pour apaiser ce désir, son père lui avait dit deux grandes choses qu'avec l'âge il saisissait de mieux en mieux. D'abord, qu'il se rendrait un jour au fond de la Grande-Rivière, y tendrait son filet flottant et en rapporterait un morceau de soleil qui serait une femme aimée toute aussi belle et aussi rousse que sa mère ; ensuite que, s'il n'était pas en le pouvoir de l'homme d'arrêter le temps, il lui était possible néanmoins de le continuer, d'entretenir en quelque sorte le feu de la vie en y jetant comme des bûches dans un âtre des enfants qui conserveraient vive la chaleur de la vie. « Les enfants, et il se souvenait textuellement de ces paroles de son père, c'est comme des bûches qui font remonter les flammes du soleil, ce sont autant de nouveaux petits soleils qui tiennent éloignés le froid et le grand noir du temps ».

Puis tout embarrassé par cette soudaine révélation de ses secrets, le jeune homme avait tenté de plaisanter en disant qu'il devait à cette idée puérile d'aspirer à colorier le monde avec des craies rouges son option pour le beau métier de peintre et son goût pour les couleurs gaies.

Mais bien plus profondément embarrassée encore était sa petite amie Anne-Marie qui sentit soudain monter à sa figure tout le soleil pourpre d'un bonheur qu'elle s'efforçait de retenir à demi-étouffé sous le sol de son coeur. Car en elle, qui s'était toujours dite rebelle à la reproduction en série subie par tant de femmes de son époque, en elle qui ne voulait pas d'enfants, ces quelques paroles magiques du peintre venaient de balayer d'un coup de grandes terreurs. Et elle fut si agitée soudain qu'elle ne put s'empêcher de porter les mains à son ventre, incapable de retenir plus longtemps le besoin fou d'y sentir battre le petit coeur rouge d'un enfant. Elle en voulait un, tout de suite, là, sur le pont du bateau ; elle le poserait dans les mains de son ami qui l'élèverait à bouts de bras dans le ciel comme un nouveau soleil.

Le Jean-Nicolet enfin accosta au quai qui se trouvait à cette époque au pied de la cathédrale laquelle, vue de la rivière, se dressait avec plus d'extravagance encore qu'à l'habitude. Aussi imprévisible dans cette petite ville de fraîcheur qu'une cathédrale gothique dans un menu village de France, l'édifice, flanqué d'un évêché, érigeait ses clochers à près de trois cents pieds dans le ciel. La cathédrale, construite sur le sol glaiseux de Nicolet, était d'ailleurs si haute, si lourde qu'on n'avait jamais pu y accrocher les cloches par peur d'un glissement de terrain, en sorte que les grosses cloches avaient été suspendues loin à l'arrière dans un campanile où, pour la plus grande joie des écoliers, le bedeau les laissait s'asseoir sur d'énormes noeuds à la base des câbles lorsque lancées à toute volée les cloches soulevaient les câbles à une vingtaine de pieds du sol.

Les deux jeunes gens descendirent du bateau avec leurs bicyclettes et Anne-Marie émit le désir de visiter la cathédrale. Marquée par une éducation où s'étaient entremêlés la sévérité des Puritains de Nouvelle-Angleterre et l'angélisme sentimental des Canadiens français, Anne-Marie n'affichait d'ordinaire qu'une attention circonspecte envers les choses de la religion mais elle se sentit, en ce jour-là, en proie à un si total désarroi qu'elle ne put réprimer ce besoin bien féminin d'une aide extérieure, puissante, et, ainsi qu'elle le faisait dans sa petite enfance, elle alla droit vers Dieu. Elle traversa la cathédrale aux colonnes gigantesques, atteignit la sainte table et alluma un grand lampion suppliant Dieu de l'éclairer, de lui faire faire le meilleur choix dans un moment si grave de sa vie. Le jeune peintre aussi en alluma un à la fois pour montrer un certain respect du sacré toujours bien vu des femmes et parce que l'aide de la Vierge, pensa-t-il, ne pouvait somme toute que lui être bénéfique. Et lorsqu'ils reprirent la grande allée, comme deux époux, pour se diriger vers la lointaine sortie, ils ne purent s'empêcher d'être étreints par une vive émotion devant les phrases latines dont les lettres d'or, gravées sous les balustrades des jubés faisaient le tour de la nef, et face aux grandes orgues dont les tuyaux innombrables dressés vers le ciel faisaient penser à ces rayons qu'on voit, sur les images naïves, briller comme un soleil autour du chef majestueux de Dieu.

Dès qu'ils eurent franchi les lourdes portes, toutefois, ils retrouvèrent en même temps que le vrai soleil toute la joie de leur jeunesse, sautèrent sur leurs bicyclettes et filèrent vers le « bas de la rivière », vers la maison du peintre auprès de laquelle il avait été prévu qu'ils iraient déguster un pique-nique préparé par Anne-Marie.

La route de deux milles qui sépare Nicolet du « bas de la rivière » et qui surplombe la rivière fut vite parcourue dans l'enchantement le plus total, les papillons et les oiseaux et d'évanescentes créatures de lumière voletant derrière les cyclistes comme les longs rubans verts du chapeau de paille de la belle rousse.

— Cette fois, dit-elle, en arrivant, je visite toute ta maison. Je veux voir où tu vis, les vieux meubles, les souvenirs de tes grands-parents et de tes parents, je veux tout voir. Tu ne peux plus m'en refuser l'entrée maintenant que tu m'as ouvert si grande celle de ton coeur.

Confondu par la logique de cette demande, le jeune

113

homme chercha une objection : « Rien n'est en ordre là-dedans, répondit-il, et puis ce ne serait pas convenable, et puis j'ai faim, mangeons d'abord et nous verrons ensuite ».

— D'accord, dit Anne-Marie, ouvrant le sac à provisions, mais après je visite tout.

— Tu sais, enchaîna le peintre pour changer de sujet, ma maison, maintenant que j'y repense, j'aurais dû la peindre toute en blanc et en tacheter les murs de petits points maïs afin qu'elle te ressemble. Et puis, bien sûr, je conserverais la toiture en rouge à cause de tes cheveux. Rouge-Aimée, ma mère, était la plus belle femme de la région mais ta beauté à toi me semble encore plus exceptionnelle, non, non, ne ris pas, je suis très sérieux. Je te regarde et je regarde le soleil et je t'assure que le choix ne serait pas facile à faire entre vous deux si j'avais à décerner un prix de beauté. « Vous êtes deux soleils » comme disait mon père à ma pauvre mère.

— Pardon, reprit Anne-Marie, les ailes de ses narines retroussées avec orgueil, il n'y a pas deux soleils. Il n'y en a qu'un et c'est moi. Je t'interdis d'admirer l'autre. Tu vois, continua-t-elle en éclatant de rire, je suis déjà jalouse de celle que ton père appelait la Grande Rousse !... Bon, et maintenant, s'écria-t-elle en avalant son dernier gâteau, je visite !

— Que vont dire les voisins ? risqua le peintre.

— Mais je m'en fiche, moi, de tes voisins. Je suis libre, moi. Je n'appartiens qu'à moi et je fais ce qui me plaît.

Le jeune homme pourtant s'interposa : « Non, s'il vous plaît, je t'en supplie, je ne veux pas que tu pénètres chez moi. Je ne peux pas t'expliquer pourquoi. Plus tard

114

peut-être, mais c'est très important pour moi. Je t'en supplie. Fais-en le tour sur la galerie, regarde par toutes les fenêtres si tu veux mais n'entre pas, je te demande de me le promettre.

— Et pourquoi donc ? pourquoi tant d'histoires pour une maison ? cria-t-elle au bord de la colère.

Et le peintre murmura, assez fort pour qu'elle entendît, mais d'une voix étrangement effrayée et comme se parlant à lui-même : « J'ai peur, comme disait mon père, que tu mettes le feu partout... »

La jeune fille, d'abord boudeuse, fut soudain envahie par un tel mélange de tristesse sans bornes et de joie qu'elle s'éloigna le long de la rivière et ne reparut qu'une grosse demi-heure plus tard.

— Viens voir, dit-elle avec beaucoup de douceur, viens voir, j'ai fabriqué deux immortelles sur la plage avec des plumes blanches de mouettes. Enfin, je les ai disposées comme deux grandes fleurs et j'ai décidé que c'étaient des immortelles.

Il la suivit sur une longue distance, arpentant le rivage en tous sens, puis la jeune rousse, désolée, dut reconnaître qu'elle ne retrouvait aucune trace de ces fleurs de plumes trop légères pour n'avoir pas été la proie du vent.

— Je n'ai pas de chance, dit-elle au bord des larmes, c'était la première fois que je trouvais en moi assez de confiance en la vie pour oser fabriquer quelque chose d'immortel.

— Mais nous en trouverons d'autres, tout à l'heure, dans une clairière que je connais, et des vraies cette fois. Elles sont rares, il faut chercher avec beaucoup de patience mais à nous deux peut-être que nous aurons de la chance, peut-être même aurons-nous beaucoup de chance.

Il arrivait maintenant au peintre d'échapper des phrases audacieuses qui s'allaient loger droit au coeur d'Anne-Marie car aucun des menus changements survenus dans l'attitude de la jeune fille, en ces jours derniers, n'avait pu échapper à son attention fébrile de fils de pêcheur guettant à l'horizon, comme il l'avait tant fait jadis, les moindres mouvements d'un astre qu'il ambitionnait de capturer.

Lorsqu'ils revinrent à la maison, Anne-Marie voulut absolument emporter avec elle une fleur de tournesol en souvenir de Rouge-Aimée et du père de son ami. Elle attacha la fleur au guidon de sa bicyclette et, vers les quatre heures, au moment où ils se préparaient à retourner au Port Saint-François, le jeune homme, pris d'un soudain besoin de s'excuser, dit : « C'est très triste, tu sais, dans ma maison, car il ne reste rien de mes parents. Ni portraits ni albums ni lettres ni journaux intimes ni robes ni habits rien, rien du tout car tout a été détruit dans l'incendie de jadis. Aussi, si tu y entres un jour je veux qu'une joie immense y entre en même temps, une grande lumière nouvelle et qui ne soit pas que fugitive comme le passage aveuglant d'un météore. Attends, cria-t-il » . Et, pénétrant dans l'antique demeure, il en revint, fort mal à l'aise, tenant entre ses doigts une photographie collée sur du carton jauni et qu'il ne savait plus comment montrer à son amie. « C'est moi, bafouilla-t-il, à quatre ans. C'est tout ce qui me reste de mon enfance car c'est une photo qu'avaient conservée mes grands-parents » .

— Oh ! mais tu étais bien beau, dit Anne-Marie, émerveillée. Mais tu étais bien beau !

Sur la photo, un tout petit enfant aux longs cheveux

bouclés se tenait debout près d'une chaise de rotin. Il portait, à la mode du temps, une petite robe, des bottines à boutons et un très large col de dentelle. Et ses purs yeux, bien sûr, étaient brillants de cette avidité naïve avec laquelle les enfants regardent devant eux la vie comme s'il s'agissait d'une sucrerie rare éloignée d'eux par la vitrine de l'illusion.

— Mais comme tu étais beau, continuait Anne-Marie.

— C'est un enfant comme celui-là que je voudrais, murmura avec tendresse le jeune homme, mais un enfant tout roux, comme toi, pour continuer le soleil » .

Anne-Marie, plus émue que de toute sa vie elle ne se l'était jusque-là permis, insista pour garder la photo pendant quelques jours et le jeune homme n'eut pas la force de lui refuser un plaisir qui semblait si profond.

Puis ils enfourchèrent leurs bicyclettes après que le peintre eut pris la précaution d'emporter une chemise à carreaux rouges car, en période de pleine lune d'août, le serein du soir est froid et tombe plus vite qu'à l'habitude.

Au lieu de prendre par la route dite « des 60 » qui file platement à travers champs, le peintre proposa un détour par le bois Saint-Michel afin de faire connaître à sa petite amie l'un des coins les plus beaux de toute la région. Le détour prolongeait d'un bon mille et demie le trajet déjà considérable de cinq milles mais l'enthousiasme des jeunes gens ne soupçonnait même pas l'existence de ce que les personnes malheureuses appellent la fatigue.

Le bois Saint-Michel avait à cette époque, et il l'a conservée en bonne partie, l'allure d'une sorte de tunnel des amoureux, un étroit chemin en lacets serpentant sous une voûte de feuillages, une sorte de charmille longue d'un bon mille et toute remplie d'oiseaux et d'écureuils rieurs. Des perdrix partaient en trombe sur le passage des cyclistes, des lièvres traversèrent le sentier. Des suisses, des pinsons faisaient frissonner les buissons de fleurs comme de jeunes coeurs.

Le peintre soudain s'arrêta. Ils laissèrent là leurs bicycles et s'avancèrent parmi des touffes de cèdres, de saules et de bouleaux jusqu'au moment où la lumière devant eux illumina une clairière merveilleuse où toutes les fleurs sauvages du monde, semblait-il, étaient venues se cacher à l'abri des humains pour se mirer plus à l'aise dans un bel étang où nageaient des canards. Des petites grenouilles vertes sautèrent par dizaines dans les eaux sillonnées d'insectes patineurs et survolées par ces libellules à qui la grâce de leur vol a fait donner le joli nom de demoiselles. Des quenouilles dans l'eau se balançaient tout doucement et d'innombrables fils de la Vierge flottaient dans l'air comme si toutes ces massettes-là eussent été de vraies quenouilles de fileuses abandonnées bien vite par des fées tisseuses parties chercher refuge derrière des enchevêtrements de concombres grimpants et de liserons des prés afin de mieux observer les nouveaux venus.

— C'est ici, dit le peintre, que je viens me cacher lorsque je disparais pendant des jours entiers et jamais encore une autre personne que moi n'avait violé le secret de ce paradis.

Et c'était bien d'un paradis qu'il s'agissait en effet et les deux jeunes gens eurent l'impression en y pénétrant d'avoir franchi à rebours, sous l'oeil bienveillant du soleil, pareil à l'ange à l'épée de feu, les portes interdites de l'Eden perdu.

118

Au lieu d'offrir à son amie, avec mesure, une seule fleur choisie ainsi que n'eût pas manqué de le faire Auguste fort de tout le contrôle rassurant de son émotion d'amour, le peintre s'empressa, courut partout, cueillit des lys orange aux pétales tachetés de grains de beauté noirs, des iris bleus, de longues fleurs roses d'épilobes, des marguerites, des quenouilles, des églantines, des feuilles de bouleaux, d'érables, de chênes, de tilleuls, des mousses rares aux petites têtes vertes surmontées d'une minuscule crête rouge, des plumes d'éperviers, de perdrix, de canards, des touffes de tanaisie jaune, des verges d'or, des clochettes écarlates ressemblant à des coeurs saignants et, lorsqu'il revint près d'Anne-Marie, ce n'était plus un bouquet qu'il lui offrait mais une véritable forêt.

Les joues de la jeune fille s'empourprèrent d'un bonheur fou, elle prit toute la forêt et se mit à danser parmi les fils étranges des fées fileuses.

Soudain, ils aperçurent en même temps deux immortelles camouflées parmi les mousses. Anne-Marie déposa sa forêt sur le sol, les deux amis se penchèrent ensemble pour cueillir les deux fleurs blanches et leurs doigts se rencontrèrent. Ils demeurèrent muets d'émotion mais Anne-Marie ne retira pas sa main tandis qu'ils entrelaçaient les tiges des deux fleurs de façon à ne composer qu'une seule tige porteuse de deux frêles corolles blanches rapprochées comme deux têtes embrassées. Il leur sembla soudain qu'ils étaient là, debout, mêlés, fondus en un seul corps, blanchis bien sûr comme ces fleurs mais immortels, bien au-delà du temps et des tourments de la vie, immortels, à jamais enlacés par les fils magiques des fées fileuses dans ce paradis si lointain des amours où chaque fleur n'a qu'une tige supportant deux corolles embrassées.

Anne-Marie fut prise de frissons comme les feuilles des peupliers trembleurs et son bel ami lui couvrit les épaules de sa chaude chemise à carreaux rouges. Le soleil déjà amorçait sa descente et c'est sans échanger une parole que les jeunes gens transfigurés reprirent le tunnel des amoureux puis la longue route de terre jusqu'au quai du Port Saint-François.

Les nuages dans le ciel s'ouvraient comme les pétales d'un grand lys orange tacheté des grains de beauté noirs du soir tandis que la pleine lune déjà se levait immense à l'autre extrémité de l'horizon.

— Si seulement j'avais pu me douter un instant, murmura Anne-Marie, toujours en proie aux frissons de la passion, si seulement j'avais pu... et moi qui ai cru tout l'été que je ne t'intéressais pas... si seulement j'avais su... Tu représentes tout ce dont j'ai toujours rêvé... mais je ne te mérite pas... c'est un rêve certainement... tout cela est si loin du réel...

Puis elle se mit à sangloter disant : « Laisse-moi, je t'en supplie, laisse-moi, veux-tu ? Sois gentil... je suis déjà très en retard, il faut que j'entre à la maison... laisse-moi... je ne sais plus où j'en suis... je ne sais plus du tout où j'en suis. Reviens demain, ajouta-t-elle brusquement, à la même heure, et nous reparlerons de tout cela, veux-tu ? Sois gentil et laisse-moi rentrer. »

Abandonnant sa bicyclette sur le quai, elle en détacha la fleur de tournesol qu'elle ajouta à la forêt qu'elle s'efforçait de contenir entre ses bras. Puis elle s'éloigna sur les sables, les épaules couvertes de la chemise à carreaux rouges et serrant dans ses doigts le petit bouquet d'immortelles et le portrait du peintre enfant.

— Je reviendrai, cria le jeune homme exalté, je reviendrai dans mon canot comme j'allais jadis à l'horizon pour tendre mon filet flottant !

Puis il courut s'enfouir dans la grande tente ne pouvant rentrer à Nicolet à cause de la noirceur.

Anne-Marie, dans sa chambre, étendit toutes les feuilles et les fleurs, les mousses et les quenouilles sur son lit et s'y laissa tomber, la figure dans les pétales d'or du tournesol.

On ne lui avait jamais dit qu'une femme pouvait aimer deux hommes en même temps et son étonnement était si grand qu'elle passa la nuit en proie à l'agitation la plus extrême. Pendant un long moment, elle contempla une petite silhouette de papier noir représentant Auguste de profil. Elle avait elle-même découpé, selon la mode de l'époque, cette silhouette qu'elle avait ensuite collée sur un carton rose. Puis, dans un geste décisif, elle laissa tomber la silhouette dans sa corbeille à papiers comme une lettre que l'on jette pour toujours. Puis elle s'abîma dans l'admiration du peintre enfant dont le col de dentelle lui rappela les ailes de papillons de tous ses songes enchantés de la veille.

Soudain, et bien qu'il lui répugnât sincèrement de se laisser distraire par cette pensée, elle revit les bals, les sorties dans le grand monde, la grande vie qu'elle avait parfois rêvé de vivre avec Auguste. Elle avait vingt-deux ans, elle aimait les toilettes, se faire voir dans toute la fugitive splendeur d'une jeunesse qu'elle sentait si brève. Et tous ces chatoiements n'exerçaient pas sur elle une faible attirance, elle élevée par une mère si pauvre. Puis elle se fâchait contre sa légèreté, contre sa vanité. Son ami peintre aussi gagnait fort bien sa vie. Elle ne serait pas dans la misère. Et puis, et puis il s'agissait bien de colifichets en cet instant crucial ! Non, le vrai problème était beaucoup plus profond que cela. Elle avait peur, une peur terrible, peur d'être trop aimée d'une part et d'entrer vive dans un feu qui risquait de la laisser éparse comme une cendre, peur d'être aimée avec nuance et sécurité d'autre part et de se retrouver seule, certain soir lointain, telle le long fantôme de l'ennui assis auprès des braises à demi-éteintes d'un grand feu qu'elle n'aurait jamais laissé monter en elle.

Puis toutes les images de l'enfance du peintre lui revinrent en mémoire : les boîtes de carton coloriées, les grandes feuilles sur la neige, les entreprises pour arrêter le temps, et sa frayeur grandit encore. C'étaient bien là les rêves extravagants et merveilleux qui avaient dû hanter l'esprit de son père. Son père et le peintre étaient des hommes dévorés par un désir d'amour et de feu inhumain. Cette sorte d'hommes demandaient d'abord à la femme d'être un soleil puis ils lui demandaient d'être le soleil lui-même. Et, s'il était bien fascinant pour une jeune fille de se faire comparer à l'astre du jour, aucune femme, elle le savait, ne pouvait aspirer à posséder assez de feu pour apaiser ces êtres passionnés qui malheureusement étaient les plus grands amoureux. Aucune femme ne pouvait être plus follement aimée, adorée que par ces hommes-là mais c'était l'excès même de leur passion qui les rendait si dangereux. Un jour, comme son père à elle et comme celui du peintre, ces hommes-là quittaient leur femme pour cette Grande Rousse dont avait bien eu raison d'être jalouse la mère du peintre, pour cette Grande Rousse qui n'était pas, bien sûr, le soleil, mais la Folie, le Rêve toujours poursuivis par ces amants insatiables, exaltés, anxieux, venus au monde infirmes, affligés d'un monstrueux besoin d'être heureux, besoin monstrueux parce qu'il n'était pas fait pour cette planète-ci. Non, elle ne se laisserait pas prendre comme sa mère malgré l'irrésistible fascination car en elle aussi, et c'était bien là le pire du drame, en elle aussi flambait ce désir monstrueux. Mais que serait l'avenir de deux monstres tentant de vivre ensemble ? Merveilleux ! se prit-elle à crier, merveilleux ! Mais elle n'eut pas sitôt poussé ce cri d'enthousiasme que, dans un geste apparemment contradictoire, elle se mit à fouiller, reprise par la peur, dans sa corbeille à papiers, retrouva la silhouette d'Auguste et se mit à l'appeler dans le noir : « Reviens, reviens vite, je t'en supplie ! reviens, je n'en peux plus ! je n'en peux plus ! Sauve-moi avant que je ne saute toute vive dans le feu ! sauve-moi ! reviens ! je n'en peux plus ! je n'en peux plus... »

Le jeune peintre, lui, pelotonné dans son sac de couchage, son coeur battant à tout rompre, ne parvint pas à fermer les yeux mais voici que ses yeux peu à peu traversèrent la nuit, voici qu'ils découvrirent bien au-delà du noir un jardin fabuleux où les soleils, après s'être vidés de tout leur feu, s'arrêtaient blancs sur des tiges comme des fleurs d'immortelles. « Qu'importe, se dit-il, si dans l'âtre de la vie se consument les jeunes amours, qu'importe si au ciel de la vie se consument les jeunes soleils des amours, pourvu qu'ils aient brûlé avec toute leur intensité, qu'ils aient transmis leur feu à de nouveaux soleils pour la continuation du feu, pourvu qu'ils soient transfigurés, et pour l'éternité, deux à deux et leurs tiges mêlées, pourvu qu'ils soient transfigurés, au fabuleux jardin, en fleurs de cendre blanche immuables dans leur beauté comme les fleurs des immortelles ! ».

A ce moment de sa rêverie, le vieil homme ivre, toujours assis face à la mer sur les sables de l'île d'Edisto, sentit tournoyer dans son cerveau les fièvres de l'alcool rendues plus ardentes encore par ce soleil déjà fort de février sous les rayons duquel il avait passé toute la journée.

Il se souvenait bien avoir sauté, le lendemain, sur sa bicyclette, dès l'aurore, et avoir fui vers Nicolet, il se souvenait bien de tout ce long dimanche passé dans la nervosité extrême à attendre la venue du soir, mais pour le reste ce n'était plus qu'avec de grands élancements de douleur qu'il parvenait à faire resurgir des images dont l'horreur, de toutes façons, lui était insupportable.

Il voulut faire table rase dans son esprit envahi maintenant de visions atroces, mais la machine de la mémoire était réchauffée et, malgré tous les efforts de l'homme pour en massacrer les rouages, elle produisit encore des ombres, des lumières, des fantômes et le vieillard se retrouva à vingt-cinq ans, dans son canot, fringué dans son plus beau costume, et avironnant comme un fou, en cette fin d'après-midi d'un chaud dimanche d'août 1927, vers le quai du Port Saint-François où l'attendait Anne-Marie dont il distinguait déjà la fine silhouette revêtue de sa chemise à carreaux rouges.

Il monta son canot loin sur la plage pour le mettre à l'abri des vagues et se mit à courir vers le bout du quai.

— Bonsoir, dit Anne-Marie avec un petit sourire triste.

Assise sur une bitte de fer, elle était toute camouflée, tel un enfant très malheureux, dans la chemise trop ample dont elle avait en outre relevé le large collet.

— T'ai-je fait attendre, s'inquiéta le peintre, essoufflé. Je suis venu le plus vite que j'ai pu mais cinq milles en canot, tu sais... Ai-je fait quelque chose qui a pu te contrarier ?

— Oh ! non, répondit-elle, tu sais bien que non.

Après d'interminables minutes de silence, ils se levèrent et marchèrent sur toute la longueur du quai sans échanger un mot. Et comme toute la sensibilité et toute l'intelligence du jeune homme se refusaient à admettre ce qu'elles comprenaient déjà trop bien, il ne fit rien pour rompre ce silence espérant bêtement une sorte de miracle.

— Tu sais qu'Auguste revient demain, finit par dire son amie de plus en plus petite et renfrognée dans la chemise à carreaux rouges.

Il ne répondit rien, comme éveillé brutalement d'un rêve et tout étonné d'entendre prononcer le nom d'Auguste dont il lui fallut bien reconnaître en son for intérieur qu'il avait complètement oublié l'existence.

— Nous avons fait un bien grand rêve, ces jours derniers, continua-t-elle après un long moment de silence.

— Un rêve ? s'insurgea le peintre. Un rêve ? Tout l'été, d'accord, j'ai vécu dans un rêve mais pas ces jours derniers, Anne-Marie, pas ces jours derniers ! Je ne les ai pas rêvés ceux-là : nos balades en canot, les mûres, la soirée chez le père Papillon, notre croisière, ma maison, le bois Saint-Michel, mon portrait, ma chemise, les immortelles, tout de même, ce n'est pas du rêve cela ! Nous n'avons pas rêvé, voyons. C'est bien réel, réel comme le bois du quai, comme moi, comme toi, mais où veux-tu en venir ?

— Oh ! c'est réel d'une certaine façon, bien sûr ; c'est réel pour toi, peut-être, mais pour moi c'est un grand rêve. Tu m'as fait vivre ailleurs, si loin, si loin de ma réalité.

— Mais, mais c'était bien beau pourtant, reprit le peintre.

— Oh ! ça, pour être beau, c'était si beau que de toute ma vie jamais je ne pourrai oublier les heures merveilleuses que j'ai vécues en ta compagnie. Jamais. Mais c'était bien trop beau, mon pauvre ami, bien trop beau — elle renifla à plusieurs reprises puis se moucha bien fort espérant faire passer sur le compte d'un début de grippe le chagrin qu'elle n'arrivait pas à contrôler — bien trop beau, et c'est pour cela que c'était un rêve... Tu es mon ami de rêve, essaya-t-elle de dire en souriant fort maladroitement.

— Mais je ne suis pas un homme de rêve, Anne-Marie, s'emporta le peintre qui piétinait faisant claquer ses souliers sur le quai pour bien montrer tout son poids de réalité. Regarde, je suis en chair, en os ! Mais qu'est-ce qui t'arrive, Anne-Marie ? qu'est-ce qui t'arrive ? Tu m'as dit hier que je représentais tout ce dont tu avais toujours rêvé !

— Moi j'ai dit ça ? s'affola-t-elle, étonnée qu'un tel cri du coeur ait pu franchir ses lèvres.

— Bien sûr que tu l'as dit. Eh quoi ! tu ne te souviens même plus des paroles que tu as prononcées hier ? Mais qu'est-ce qui t'arrive ? Je ne te reconnais pas, je ne te comprends plus du tout.

— Et tu crois que je me comprends, moi ? se dit-elle à elle-même. Ecoute, ajouta-t-elle après un silence de plus en plus pénible, ce que j'ai à te dire est extrêmement difficile, pour rien au monde je ne voudrais te faire de mal, pas à toi, oh ! surtout pas à toi, et je ne voudrais pas que tu m'en veuilles trop mais je suis très coupable, tu sais, tout cela est de ma faute, je suis très coupable. Si tu savais comme je me déteste. Voilà. Auguste et moi, eh bien, Auguste et moi, avant son départ pour Québec, nous... nous nous étions promis l'un à l'autre, nous ne sommes pas vraiment fiancés, comprends-tu ? mais... J'aurais dû t'en parler mais quand tu es venu j'étais si contente de te voir, je m'ennuyais ici toute seule et puis il n'y avait jamais eu autre chose qu'une grande camaraderie entre nous deux, tu comprends ? alors je n'ai pas cru nécessaire de parler de cela, mais je ne te connaissais pas et j'ai été si surprise de te découvrir que j'ai glissé dans une sorte d'enchantement. Oh ! je ne regrette rien, tu sais, mais j'avais donné ma parole et...

Sidéré par cette révélation, le jeune homme, d'abord muet, se confondit en excuses. S'il avait su, jamais il n'aurait osé laisser paraître le moindre sentiment. Auguste était son ami et cela pour lui avait un caractère sacré. « Je suis un monstre, dit-il, je te demande pardon, je vous demande pardon à vous deux, si seulement j'avais pu me douter un instant... »

— Tout est de ma faute, l'interrompit-elle, profondément touchée par le si pur remords auquel elle le voyait en proie, tout est de ma faute, c'est moi la grande coupable. J'aurais dû rester seule ici, sagement, mais j'ai perdu la tête, voilà, j'ai perdu la tête. Je suis une bien petite fille encore, et puis j'ai tellement de défauts. Tu vois, je n'ai pas su résister, je me suis laissée glisser dans le rêve et je t'ai fait du mal, du mal à toi, à toi le plus merveilleux garçon que j'ai jamais connu, le plus vrai, le plus propre... Elle s'arrêta consciente de perdre de nouveau le contrôle de ses sentiments mais elle eut la faiblesse d'ajouter : « Il y a tant de choses que j'admire en toi ; si je t'avais connu dès le début peut-être tout aurait-il été différent, je ne sais pas, mais je suis engagée maintenant, il s'est créé des liens profonds entre Auguste et moi et puis je te connais depuis si peu de temps, et puis il faudrait tout recommencer, je ne suis pas assez forte, je n'ai pas assez de courage, et puis, trancha-t-elle vivement, tu me ressembles trop, voilà, je ne veux pas d'un petit frère jumeau. Tu imagines deux êtres comme nous, aussi farouches, aussi instables, aussi brûlants de folie essayant de vivre ensemble ? »

Le peintre, qui ne l'écoutait plus depuis longtemps, la laissa s'embrouiller dans des phrases de plus en plus incohérentes où s'entremêlaient à des bribes de raisonnement étonnamment froid des élans d'amour très vite réprimés, des reniflements nerveux, des gestes brusques, des mots doux comme des caresses et des contradictions soutenues avec une émotive conviction.

Lui, trop étouffé de détresse pour articuler un son, sentait tous ses désirs sauvages de bonheur se débattre en lui comme une portée de chats qu'on noie, un à un, dans un seau.

A mesure qu'elle parlait, le soleil derrière eux s'enfonçait étranglé par les mains violettes du soir. Et à mesure que mourait le soleil, la lune dans son plein, à l'autre extrémité du ciel, se levait lugubre, toute pareille au fantôme même du soleil défunt, cramoisie d'abord puis exsangue et froide comme une morte. Puis la pleine lune blanche devint une fleur d'immortelle solitaire dans le vide, puis elle s'arrondit immense comme la figure livide de la douleur d'amour errant à jamais désolée dans le noir absolu du désespoir.

— Il faudra que nous restions de grands amis, tu me le promets, n'est-ce pas ? continuait la jeune fille dont l'extrême nervosité s'était maintenant transformée en un brutal aplomb. Il va falloir que je rentre, il est très tard. Je te remets ta chemise, ton petit portrait que j'ai trouvé bien beau et puis le petit bouquet d'immortelles que je voudrais bien garder mais qui pourrait peut-être devenir compromettant. Auguste me demandera à quoi j'ai employé mon temps. Je ne voudrais pas qu'il se fasse des idées. Je te remercie pour tout, dit-elle enfin avec quelque émotion, j'ai passé grâce à toi quelques-uns des moments les plus délicieux de ma vie, je ne regrette rien et je garde dans mon coeur, dans un petit coin à part, un petit bouquet comme celui que je t'ai remis et que je n'oublierai jamais.

Puis elle lui tendit la main, comme pressée d'en finir. Le jeune peintre bafouilla : « Je vous souhaite beaucoup de bonheur » et il la regarda s'éloigner sur la plage.

Anne-Marie, soudain, se retournant, aperçut son ami seul sur le bout du quai, dans le noir, et il lui sembla qu'elle venait d'abandonner au bord de l'horizon le plus beau rêve de sa vie et que ce rêve allait basculer et disparaître à jamais dans l'abîme effrayant du temps. Elle revint sur ses pas en courant, se jeta dans les bras du jeune homme.

— Pardonne-moi, s'écria-t-elle, pardonne-moi, je suis bien brusque parce que je suis bien émue. Viens-t-en, ne reste pas là, voyons, viens, je te reconduis en auto.

Elle l'entraîna par la main. Ils montèrent dans la voiture, figés comme deux statues de glace sous la lumière morte de la lune. Le jeune homme, tout à coup, rompit le silence comme s'il s'adressait à une personne qui n'aurait jamais existé : « Je ne voulais pas que vous entriez chez moi parce que si vous aviez pénétré dans ma maison je ne vous en aurais plus jamais laissée sortir ». Anne-Marie appliqua les freins de l'auto qui s'arrêta dans la route désolante dite « des 60 », puis elle lança, au bord de la crise : « Mais ne me vouvoie pas, tu es fou, tu vas me faire pleurer ! Si tu savais la nuit que j'ai passée, la confusion dans laquelle je me suis débattue. Comment peux-tu croire que je n'éprouve rien pour toi ? Comment peux-tu croire que je vais pouvoir oublier tout cela ? Je n'oublierai jamais, voilà, jamais ! Tu es le garçon le plus merveilleux que j'ai connu. Tu es si merveilleux que je ne te mérite même pas ! J'ai beaucoup d'affection pour toi, tu sais, beaucoup, beaucoup trop peut-être, mais l'amour est une chose étrange et j'aime Auguste, voilà, je n'ai qu'un coeur, je ne peux pas le couper en deux ! J'aime Auguste, j'ai bien réfléchi, je l'aime, je n'y peux rien ! ... Tu vois, je suis brutale, je suis cruelle, j'ai toujours été faite ainsi. Je suis pleine de défauts. Et puis je n'en peux plus, je vais devenir folle si ça continue ».

L'auto fonça de nouveau sur la route et les deux amis reprirent leur attitude de statues de glace. Puis, lorsqu'ils furent arrivés à la maison du peintre, celui-ci qui avait déjà ouvert la portière et s'apprêtait à descendre s'affaissa sans prévenir, la figure enfouie dans les genoux de son amie, tout le corps secoué de sanglots fous et murmurant : « Anne-Marie, Anne-Marie, Anne-Marie, Anne-Marie, Anne-Marie, Anne-Marie, Anne-Marie, Anne-Marie ». Brusquement, il se releva, s'essuya les yeux dans sa chemise à carreaux rouges, s'excusa disant : « Je dois être très fatigué. J'ai tellement honte, j'ai tellement honte ». Il jeta un vif regard sur la jeune fille, figée d'étonnement et dont toute la figure brillait de larmes, puis il se sauva.

En possession d'une expérience plus considérable de la vie, le malheureux garçon eût pu pressentir chez son amie cette bizarrerie de comportement caractéristique des personnes souffrant d'insécurité qui s'attachent à une décision, la plus claire, la plus simple, s'y entêtent même voulant tellement que quelque chose soit simple et clair parfois dans l'effrayante complexité de la vie, il aurait pu prévoir peut-être que, le lendemain, sa merveilleuse amie aurait fort bien pu changer totalement d'avis et s'attacher à lui avec autant de conviction et de certitude qu'elle s'accrochait en ce moment à Auguste, mais, au comble du désarroi, il demeura là, immobile, après le départ de la voiture.

Le soleil, cette fois, et de façon définitive, venait de lui échapper des mains. Les deux fleurs rouges de son amour, blanchies entre ses doigts, n'étaient plus qu'un petit bouquet d'immortel chagrin. Et ce n'était plus une banale photographie d'enfant qu'il pressait avec effroi contre son coeur, mais c'étaient tous les rêves de son enfance à jamais détruits qu'il s'efforçait de retenir encore un peu, et cette photographie surtout c'était le tout petit enfant qu'il avait tant rêvé d'avoir avec Anne-Marie et qu'il n'aurait jamais et dont il berçait le corps mort contre son pauvre coeur.

Le soleil, étranglé par les mains violettes du soir, venait de disparaître à l'horizon de l'île d'Edisto, et le vieil homme ivre, chassé de la plage par d'énormes vagues noires qui venaient balayer les châteaux de sable de ses souvenirs, entra dans le chalet qu'il avait loué et s'y laissa tomber sur son lit à sommier rouillé.

Il tenta de toutes ses forces d'oublier la nuit qui avait fait suite au départ d'Anne-Marie mais il était en proie à la plus mauvaise fièvre et les vagues puissantes qui faisaient croûler les tours de ses châteaux de songe laissèrent ouvert, brisé sur la grève, un coffret secret d'où s'échappèrent les fragments de la longue lettre qu'il avait, cette fois-là, passé la nuit à rédiger.

Mademoiselle Anne-Marie Smith
Port Saint-François

avait-il d'abord écrit sur l'enveloppe, puis il avait tracé, en beaux caractères, sur une feuille vierge :

«Mademoiselle,

Je ne me remettrai jamais de vous avoir connue. C'est un mort qui vous écrit. Et c'est heureux pour vous et pour Auguste qu'il en soit ainsi car, s'il restait encore en moi un peu de vie, il serait fort à craindre que chacune de mes pensées ne continue à voler vers vous et que chacun de mes actes ne soit posé en fonction d'aller vous tourmenter, d'aller troubler votre bonheur que je voudrais si beau, si serein, si... »

Puis il avait tout déchiré cette lettre où se cachait tant de mépris sous tant de respect affecté et que d'ailleurs il ne parvenait pas à rédiger, peu habitué qu'il était à écrire.

Puis il avait jeté sur une autre feuille des bribes de phrases :

« Sorcière ! tu as ensorcelé ma vie, tu as mis le feu partout et il ne reste rien de moi. C'est un mort qui te parle, ô mon amour, un mort dont chaque seconde, pendant des mois, a été consacrée à penser à toi, jour et nuit, et je ne regrette aucune de ces secondes. Mais j'ai tant de passion, tant de tendresse à te donner. Je ne te demande rien de toi, je ne désire que te donner et je deviendrai fou si tu me laisses ainsi les mains pleines de caresses, le coeur débordant d'amour, le corps plein d'un feu qui me dévore si je ne te le donne pas. Et je ne veux donner tout cela à personne d'autre. Je ne me marierai jamais, Anne-Marie, jamais, et je n'aurai jamais d'enfant avec une autre femme : ce sera ma façon à moi de t'être fidèle. Car jamais dans ma vie il n'y aura d'autre femme que toi. Jamais. Même toute tourmentée comme elle l'a été depuis ma naissance, je recommencerais toute ma vie pour ces quelques instants où j'ai eu la folie de croire que tu m'aimais un peu. C'est un mort de vingt-cinq ans qui t'écrit car ma vie a pris fin pour toujours en cette nuit de pleine lune où tu n'as pas voulu de moi. Que veux-tu que je fasse maintenant ? Car je n'ai qu'une seule vie et il n'y a qu'une seule toi. »

136

Ensuite, il avait écrit sur des pages et des pages le nom d'Anne-Marie, il avait rempli des pages et des pages de « je t'aime », des tout petits lovés dans des coeurs, des « je t'aime » enluminés de fleurs, d'oiseaux, des « je t'aime » qui dessinaient le corps d'une femme, des « je t'aime » déployés en chevelures, des entrelacements infinis d'initiales, puis des « je t'aime » énormes couvrant tout un feuillet.

A la fin, ayant retrouvé ses craies d'enfant, il avait disposé sur le plancher dix-huit larges feuilles immaculées sur chacune desquelles il avait colorié une lettre en rouge, et c'est sur cet immense

ANNE-MARIE JE T'AIME

qu'il s'était effondré de tout son long, sa figure en larmes enfouie dans sa chemise à carreaux rouges toute chargée encore comme un grand lys sauvage des parfums roux d'Anne-Marie.

Dans son esprit, alors, avaient commencé à prendre forme deux pensées qui ne devaient plus jamais le quitter: chaque homme est un astre dans la nuit de l'existence et autour de chaque homme comme autour de chaque astre il y a l'abîme noir. Si le feu de l'amour illumine cet astre, le noir est tenu à distance, mais si le feu de l'amour se retire de cet astre, il s'éteint et erre à tout jamais comme une étoile morte dans le néant noir.

L'homme est une flèche lancée dans l'espace de la vie, et l'ordre de la nature a créé pour chaque flèche une cible qu'elle doit ateindre afin d'y trouver cet apaisement que nous appelons le bonheur. Et l'homme-flèche qui atteint la cible qui lui était destinée doit s'avérer comblé car il ne lui sera pas donné de satisfaction plus grande ni en cette vie ni en une autre. Aussi, lorsqu'un homme passe à côté de la femme que la nature lui avait destinée sans pouvoir une fois au moins s'unir à elle, cela veut dire que cet être de désir n'aura jamais trouvé l'apaisement. Et cet être-là ne voudra pas mourir car, même après sa mort, il ne connaîtra pas le repos, il n'aura pas atteint sa cible et restera tel un désir errant, telle une flèche qui file à jamais, sans signification, dans le néant.

Le cinquième jour de son voyage imaginaire, toujours couché sur la table d'opération d'un hôpital des Trois-Rivières, le vieil homme décida de demeurer encore sur l'île d'Edisto.

Il y fut bien contraint d'ailleurs par les vertiges d'une fièvre d'insolation qui le retint au lit toute la journée. Et toute la journée, il tomba sur l'île, délaissée par le soleil, une pluie noire, pénétrante comme l'angoisse.

Le vieil homme avait lu, la veille, dans le petit livre *Ghost Tales of Edisto,* acheté à l'épicerie, une légende racontant que des enfants morts de maladies douloureuses revenaient gémir parmi les dunes aux joncs sifflants de l'île. Et durant toute l'aube, pendant les intervalles des bourrasques de pluie noire, il entendit de nouveau des plaintes déchirantes provenir des dunes.

Il reconnut soudain, avec la plus absolue certitude, la voix tremblante de terreur du tout petit garçon de son enfance. Puis il se vit, âgé de quatre ans, courir et trébucher sur la grève durcie de sel. Sa robe aussi fragile que si des mains d'archanges l'eussent tissée avec les soies de l'innocence et son col de dentelle éthéré comme une aile, déchirés en lambeaux aux griffes des buissons, flottaient dans l'ombre agités comme par les doigts de cent sorcières.

Ses fines bottines à boutons heurtaient des coquillages et des cailloux, l'enfant glissait, couvrant son corps de plaies violettes, et le vieux peintre épuisé, dont tous les efforts pour porter secours au petit garçon demeuraient vains, comprit que l'homme, dans la nuit de l'existence, est un enfant abandonné par tous les rêves, qui court et qui trébuche et tend les bras vers ce soleil énorme du bonheur qui tombe toujours ailleurs, trop loin, à jamais hors de sa portée, un enfant tout couvert rapidement par les plaies violettes du temps, ses ailes d'innocence déchirées entre les griffes des sorcières des déceptions, qui court et qui trébuche et crie puis qui bascule, bras tendus vers l'espoir, sans comprendre, dans le trou noir de la mort.

Le vieil homme, soudain, qui venait de perdre de vue le petit garçon de son enfance, entendit d'autres plaintes provenant de bien plus loin encore parmi les dunes. Les plaintes toutefois étaient si étouffées, comme originant de sous la terre, que le pauvre homme, pénétré de pluie, se mit à fouiller dans la pénombre, à quatre pattes sur le sol mouvant car il se trouvait aux abords de cette zone où les sables avalent en quelques heures le marcheur distrait qui s'y égare.

Brusquement, il s'arrêta. Devant lui béait un abîme en forme de remous, gluant, qui s'enfonçait peut-être jusqu'au centre de la terre. Et l'affolement de l'homme atteignit son comble lorsqu'il distingua au fond, prisonnière dans les glaises jusqu'au cou, une toute petite fille rousse qu'il reconnut tout de suite comme étant la petite fille qu'il avait rêvé de mettre au monde avec Anne-Marie.

L'enfant criait, voulant venir jusqu'à la vie. Il lui tendit les bras, dérisoire, et comprit que jamais il ne délivrerait l'enfant de ce cloaque de néant sans l'aide d'un immense câble fait de chair, enfoui dans le ventre d'Anne-Marie, et qui avait la forme exacte et la texture d'un cordon ombilical. Anne-Marie, à l'autre bout de la nuit, refusait , doigts serrés sur son ventre, le câble réclamé par le vieil homme et les cris étouffés de l'enfant.

Le vieil homme soudain se prit la poitrine à deux mains car d'un seul coup l'abîme épouvantable venait de se transporter dans son corps. Et c'est au bord des profondeurs mêmes de son désespoir que, fouetté par les bourrasques de pluie noire, il se pencha tentant d'aider à naître la petite fille rousse qui, toute sa vie durant, avait voulu sortir de lui, gémissant dans les sables mouvants d'avant l'existence et remplissant de cris les dunes à jamais désertes de la solitude du vieil homme.

Auguste, à son retour de Québec, refusa de croire que, selon l'expression méprisante de Madame de Bellefeuille, son meilleur ami était devenu « un soûlon », mais il dut bien se résigner à l'évidence.

Le peintre, depuis la mi-août, ne dessoûlait plus. Avec Ti-Draffe, bien sûr, il lui était arrivé jadis, les jours de grande chaleur, d'aller s'envoyer quelques bons verres de cette bière en fût qu'ils appelaient de « la draffe », mais maintenant, pour retrouver son ami, Auguste dut faire le tour des tavernes des Trois-Rivières où d'ailleurs on commençait déjà à le connaître.

Lorsqu'il le trouva enfin, assis seul à une table d'un de ces bouges enfumés, il avait devant lui dix verres de draffe dont sept déjà étaient vides et il s'ingéniait à faire tenir debout incliné comme une tour de Pise l'un des verres dans une petite flaque de sel mouillé.

A Auguste qui, ne comprenant rien à ce brusque changement de comportement, lui reprochait sa conduite s'inquiétant à la fois pour sa santé et pour leur amitié, et qui ne cessait de lui répéter : « Ecoute, si je peux faire quelque chose, si quelque chose ne va pas, il faut me le dire, tu n'as pas de meilleur ami que moi, tu sais bien que je voudrais tout faire pour t'aider », le jeune homme avait répondu :

— Ne cherche pas, Auguste, d'explications compliquées à ce qui est très simple. C'est la maladie des peintres, tout simplement, qui vient de me prendre et je te jure que c'est fort. On brasse de la couleur à longueur de journée, on repeint des maisons qui n'en finissent plus de s'écailler, on voit le temps ronger notre ouvrage à mesure qu'on le fait. Et puis un jour on se dit qu'il faudrait être cent millions de peintres pour embellir un peu la terre et ses habitants. Puis il nous vient l'idée de peinturer la face des gens pour leur cacher la crasse écoeurante de l'âme. Puis, de là-haut, toujours grimpés sur nos échelles, on finit par regarder la vie par en-dessus, un peu comme les dieux, puis on la trouve mal faite, personne n'est heureux, les coeurs n'ont pas aussitôt brillé des quelques teintes vives de la jeunesse qu'ils se décolorent, puis c'est le monde entier qui devient noir ou blanc, puis on n'est plus d'accord soudain avec la façon dont les dieux ont peint ce monde-là cachant partout les planches pourries de la mort et du désespoir sous la mince couche de peinture « cheap » des illusions.

Et comme nos petits pinceaux, à nous, sont bien impuissants comparés aux leurs, on se laisse tomber, un soir, épuisés, devant une table qu'on fait recouvrir de verres de draffe et c'est alors que l'on découvre le pinceau immense de l'ivresse.

Tu sors dehors et puis tu fais ce que tu veux avec le monde. Pour moi, maintenant, de jour, le ciel est jaune, les feuilles des arbres orange, le fleuve est rouge, les nuages saumon, l'herbe est parfois pêche, parfois rose et le soleil est vert. Quand je rencontre une femme, j'en fais une tache de couleur, j'en fais des bleues, des mauves, des pourpres comme du sang mais le plus souvent je les fais disparaître en les fondant à l'or du ciel, au rose de l'herbe ou au saumon des nuages. Ah ! tu ne peux pas savoir comme le pinceau de l'ivresse me repose de la platitude insupportable du monde avec son vieux ciel bleu, son vieux soleil, sa vieille herbe verte et sa vieille misère aussi inchangeable et toujours recommencée que le ciel bleu, l'eau bleue, l'herbe verte, enfin tout le vieux truc des dieux.

Et puis la nuit, la nuit pour moi désormais est orange comme un grand lys sauvage et toutes les étoiles sont ces petits points noirs qui parsèment de grains de beauté les pétales des lys sauvages.

Mais si le peintre, exalté par l'alcool, disait vrai en ce qui concernait ses nuits, il faussait délibérément la vision qui s'offrait à lui pendant le jour. Les jours pour lui maintenant, tout le ciel, les nuages, les arbres, l'herbe et l'eau, tout était chevelure rousse enveloppant le doux visage de la lumière adorablement tacheté comme de grains de beauté par des volées d'oiseaux se préparant à fuir la neige vers le sud. Et puis il voyait deux soleils, deux soleils verts qui étaient les yeux verts de celle qu'en son coeur l'amour avait élue en reine pour toujours.

Chaque homme cache au plus profond de lui un grand secret qui explique chacune de ses pensées et chacun de ses actes. Il arrive la plupart du temps qu'il ignore ou ne fait que pressentir ce grand secret dont pourtant il subit la domination et les tourments, mais il arrive souvent qu'il le connaît. Si la nature alors lui a fait le don très rare d'un ami véritable ou d'une femme aimée, il essaie parfois, avec d'infinies maladresses, de leur dévoiler un peu de son mystère. Tous les hommes pourtant, soit qu'ils n'aient pas d'amis véritables ou pas de femmes aimées soit que leur mystère soit inexprimable avec les mots ou qu'une pudeur fatale leur ferme le coeur, tous les hommes ne confient jamais ce qui a fait l'essentiel de leur vie, ce qui a été en fait leur seule vraie vie, et partent sous la terre avec leur grand secret que dévorent les vers et qui s'en va germer peut-être en quelque fleur perdue au fond d'un bois.

Mais lorsqu'un homme connaît bien son grand secret et qu'il possède un vrai ami et qu'il se met à lui mentir au lieu de s'efforcer de mettre à jour un peu de son tourment, c'est que son grand secret alors est non pas inexprimable mais qu'il est inavouable. Tel était le cas du peintre et c'est pourquoi rapidement Auguste ne fut plus pour lui qu'un étranger et, pire encore, un personnage importun. Seul lui restait en cette vie le pinceau fou de l'ivresse avec lequel il s'efforçait, plus que jamais en son enfance, de rougir le monde.

Au Canada, vers la mi-octobre, après les premières gelées et de longs jours de pluie où les nuages au ventre énorme traînent au niveau du sol, il arrive, chaque année, que le soleil, avant d'être chassé vers ses quartiers d'hiver où il ira blanchir, pousse une sorte de cri ultime de lumière. Et pendant une dizaine de jours, on se croit de retour aux chaleurs de juillet. Les arbres, à ce moment, ont toutes leurs feuilles empourprées et ces dix jours, toujours suivis d'un aquilon violent qui d'un seul coup dénude toutes les forêts, sont peut-être les dix plus beaux jours de l'année.

Or c'est par un samedi de cette mi-octobre, qui porte le nom d'été des Indiens, qu'eut lieu le mariage d'Auguste et d'Anne-Marie.

Auguste avait espéré, malgré tout, la présence de son ami mais au dernier moment il l'avait trouvé ivre-mort sur le lit de sa maison du « bas de la rivière ». Le pauvre peintre, qui depuis le mois d'août portait jour et nuit la chemise à carreaux jadis prêtée à Anne-Marie, avait été affolé par la nouvelle de la noce et, malgré le pinceau de l'ivresse grâce auquel il s'était cru l'auteur de la féerie rouge de l'automne, il lui était apparu impossible de retenir les feuilles à leurs tiges. Chaque carreau rouge même de sa chemise, lui semblait-il, était emporté par les vents

147

froids, et toute l'eau rousse et toute l'herbe rousse et tout le ciel roux de son rêve quotidien ne devinrent plus qu'une feuille gigantesque, la dernière de l'érable de l'amour, arrachée sans pitié par le temps pour disparaître dans l'abîme du néant. Terrifié par cette vision, il avait bu plus de draffes encore qu'à l'habitude et s'était effondré, désabusé, sur son lit.

La noce n'en avait pas moins eu la splendeur du paysage. Anne-Marie, coiffée d'un grand chapeau à voilette, ses cheveux dénoués jusqu'à la taille sur sa robe de satin vert, y était apparue comme la fée de cet automne portant sur sa tête tout le feuillage roux d'octobre, et nul n'avait douté qu'aucun hiver ne pouvait menacer, et de toute éternité, l'homme assez heureux pour s'être acquis le coeur d'un tel soleil.

Le père Papillon, pour être à la hauteur, et tandis que la fanfare au garde-à-vous attendait la sortie des nouveaux époux, avait fait des prodiges d'improvisation entremêlant aux accents joyeux du Gloria des bribes d'*Auprès de ma blonde qu'il fait bon dormir,* puis terminant en apothéose, pour le ravissement de tous, en entrelaçant de façon exquise à la *Marche nuptiale* de Mendelssohn de nuancés extraits de l'hymne *O Canada* et du *Star Spangled Banner* des Américains.

Le lendemain, pourtant, à la grand-messe du dimanche, les Nicolétains furent plongés dans la consternation. Deux grands lampions avaient été brisés par une main sacrilège devant le maître-autel et les deux larges portes de la cathédrale avaient été peinturées en noir pendant la nuit.

Chaque village a son curé — Nicolet avait même un évêque —, son maire, son fou et son ivrogne, et le vieil homme, toujours couché, fiévreux, dans son petit chalet d'Edisto, se rappelait maintenant les cinq années désastreuses au cours desquelles le mauvais sort avait posé sur son visage et sur son corps titubant le masque de pourpre, la couronne de délire et tous les attributs risibles d'un roi de l'ivrognerie locale.

Auguste et Anne-Marie étaient allés vivre à Québec, et la jeune fille, envolée avec les feuilles rousses de l'automne, avait laissé le coeur du peintre en proie aux poudreries féroces d'un hiver contre lequel s'était avéré impuissant le pinceau large de l'ivresse. On le voyait encore dans les tavernes mais il s'était mis au vin rouge qu'il achetait en pintes et qu'il s'en allait boire, seul, à quelques pas de sa maison. A l'endroit même où pour la dernière fois il avait vu sa bien-aimée, il versait du vin de façon à dessiner un cercle rouge sur la neige, s'assoyait au centre, en versait encore pour tracer ses initiales enlacées à celles d'Anne-Marie, puis il buvait pendant des jours entiers, les yeux fixés sur cet enlacement de lettres rouges. Et cet endroit lui était devenu sacré comme une tombe. Il aurait massacré à coups de bouteilles l'intrus qui y aurait posé un pied sacrilège.

Tout le premier hiver, il entretint ce cercle avec des libations de vin et les voisins finirent par s'habituer, sans rien comprendre toutefois, à le voir assis là, toujours vêtu de sa chemise à carreaux rouges, insensible aux aquilons coupants et aux tempêtes, assis seul sur la neige au centre blanc du soleil mort de son amour.

Un jour pourtant du mois d'avril, il se leva, gonflé d'alcool, et urina avec ostentation sur toute la surface du cercle sacré prenant bien soin de cribler de trous infects les entrelacements des initiales, puis il recommença de travailler.

Mais il avait perdu la main, accumulant les gaffes, trébuchant des escabeaux, renversant des seaux de couleur sur les tapis, peinturant en rouge des plafonds qu'on lui avait demandé de peindre en blanc, ne sachant plus faire les angles, les plinthes, faisant peur aux ménagères qui l'entendaient parler tout seul, abandonnant enfin ses contrats sans les mener à terme dès qu'il avait assez d'argent pour se payer à boire.

Alors, nippé dans son habit du dimanche, portant chemise blanche, col empesé et lys orange à la boutonnière, il faisait une entrée princière dans une taverne des Trois-Rivières. Il invitait tous les soûlards à prendre place autour de lui, parlait d'une fête, d'une noce étrange à laquelle personne ne comprenait mot, puis il payait toutes les tournées levant chaque fois son verre au bonheur des nouveaux époux. A la fin, les poches retournées vides d'argent, la braguette oubliée ouverte, la chemise maculée de bière, le faux-col de travers, il s'écroulait entre les tables soulevant l'hilarité générale et tentait, malgré les poussées brutales du patron qui le jetait dehors, de réussir une sortie empreinte de noblesse et de dignité.

On l'avait même vu entrer un jour, pour célébrer ses noces fantômes, avec, à sa boutonnière, une fleur énorme de tournesol qui lui cachait la moitié de la figure. Mais chaque fois la fête tournait mal et le pauvre garçon, trop saoul pour reprendre le traversier qui l'aurait ramené sur la rive sud du fleuve, à Sainte-Angèle-de-Laval, où quelque automobiliste charitable l'aurait fait monter jusqu'à Nicolet, allait s'égarer parmi les docks du port des Trois-Rivières, rêvant de fuir en regardant les hauts navires étrangers puis s'affaissait dans quelque coin, sa fleur de tournesol roulant dans une flaque de cambouis et ses rêves d'amour flottant comme des restes de mangeaille parmi la vomissure verte.

Puis il recommençait à travailler pour des gens qui le prenaient en pitié mais son ouvrage était si mal exécuté qu'au bout de quatre années on ne l'engagea presque plus et qu'il tomba dans une grande misère. Dès qu'il avait quelques sous, il courait s'acheter une pinte de vin rouge qu'il allait boire au bord de la rivière. Toujours vêtu de sa chemise à carreaux, les mains et les salopettes tachées de peinture rouge, il était devenu la risée des enfants qui l'avaient baptisé « le Grand Rouge » et qui le pourchassaient à coups de cailloux ou s'efforçaient, avec leurs frondes, à viser sa bouteille qui lui éclatait entre les mains.

L'hiver, on le trouvait souvent ivre-mort, à l'aube, dans un banc de neige qu'il ne voulait pas quitter s'y disant au chaud comme en une peau d'ours blanc.

Les premières années, il s'était inquiété, bien sûr, de ce que devenait Anne-Marie. Il y pensait souvent, recommençait la lettre qu'il n'arrivait jamais à écrire, puis il avait compris qu'à chaque jour le temps vieillit les gens, les change, et que la personne même la plus aimée n'a bientôt plus grand'chose à voir avec cet être qu'on a tant chéri à tel instant. On garde en soi, statue immuable, une image de la personne adorée, on la protège à l'abri du temps et l'on parvient si bien à arrêter sur le visage de l'idole cette minute de beauté qu'il est tout à souhaiter que jamais plus les hasards de la vie ne nous placent sur son chemin. Et il est préférable, très certainement, de mourir fou avec cette beauté mythique dans le coeur que de revoir, lacéré par les fouets du destin, cet être que l'on a divinisé. Quelle importance alors qu'Anne-Marie ait habité une belle maison, ait eu de beaux meubles, des toilettes ravissantes, quelle importance qu'elle ait engraissé peut-être, qu'elle ait mené une vie comparable en tous points à la vie de n'importe quelle petite bourgeoise insignifiante, quelle importance même qu'elle ait eu des enfants, puisqu'à chaque seconde le temps éloignait à jamais de cet homme brisé celle qui avait été la lumière rousse de sa jeunesse ?

Parfois, au plus profond de son égarement, le peintre, en plein midi d'été, invectivait le soleil. Une petite troupe de curieux se formait autour de lui qui, les yeux injectés de sang, criait à l'astre : « Va-t-en ! Va-t-en ! Ne me regarde pas avec un oeil comme celui-là ! »

Car si le malheureux jeune homme avait tant bu au cours de ces cinq années-là, c'est qu'il n'arrivait pas à supporter à la face du jour une honte épouvantable, un dégoût de lui-même qui n'avait pas de bornes. Quoi donc, l'homme était-il vraiment si insensible, si médiocre dans ses sentiments pour avoir la faiblesse de survivre à un si grand chagrin ? Pourquoi le coeur ne se brisait-il pas dans la poitrine ? Et pourquoi le soleil, lui qui était le coeur du monde, ne se brisait-il pas non plus dans la poitrine immense du ciel ? Comment la vie dans ses artères et dans celles de l'univers pouvait-elle continuer à battre au même rythme qu'avant ? Comment les fleurs pouvaient-elles embaumer, les étoiles briller, les enfants rire et d'autres jeunes gens se bécoter dans les buissons remplis d'oiseaux comme si jamais rien ne s'était passé ?

Et le jeune homme aux yeux striés de sang se tordait de dégoût dans la lumière car il n'avait jamais pu supporter la honte épouvantable de ne pas être mort d'amour.

Son esprit s'en allait chaque jour au même rythme que ses derniers sous, et le délabrement de sa maison était à l'image même de celui de son coeur.

Un jour de novembre, le jour de la première neige, il sortit du garage ses échelles, ses pinceaux, ses brosses, fit un emprunt et s'acheta des gallons et des gallons de peinture rouge. Il peintura la galerie, les persiennes, les portes, les marches, les murs, il peintura toute la toiture, la cheminée et les paratonnerres. Il revint sur le sol dont il peintura l'herbe sur une dizaine de pieds autour de la demeure. Puis il entra, peintura les plafonds, les murs, les vieux portraits, les meubles, les planchers. Puis il se mit à peinturer les vitres et c'est ainsi qu'un voisin, inquiété par cette ardeur qui ressemblait à la démence, finit par pénétrer dans cette espèce de soleil qu'était devenue la maison et qu'il trouva le peintre couché nu sur les draps recouverts de peinture rouge de son lit, collé dans la peinture rouge et en train d'étouffer en étreignant son oreiller également couvert de peinture rouge.

A quelques temps de là, on l'aperçut sur le toit de la maison rouge en train d'y clouer les pattes d'une double échelle afin qu'elle pût se maintenir debout. Il y grimpa armé d'un seau et d'un pinceau afin de peinturer le ciel en rouge mais l'échelle ayant basculé, il tomba sur la couverture s'accrochant éperduement aux lucarnes, aux saillies coupantes de la tôle, aux gouttières mais rien ne put l'empêcher de glisser et de choir tout en bas sur la neige, les jambes fracturées, son corps couvert de sang et de peinture rouge. Avant de perdre conscience, il aperçut le soleil, tout à la fin des temps, épuisé par sa lutte de tant de siècles contre la mort, choir du plus haut des cieux et s'abattre brisé, comme lui, dans la neige éternelle.

Lorsqu'on l'eut délivré des plâtres qui avaient emprisonné ses jambes pendant plus d'un mois et qu'il put circuler de nouveau par les rues, le monde avait définitivement changé pour lui.

On était au début de janvier. Dans quelques jours à peine il aurait trente ans. Il regarda autour de lui. Il n'était pas quatre heures de l'après-midi. Le soleil blanc déjà s'effritait en poudre de neige à l'horizon. Il faisait trente degrés sous zéro. La rivière et la terre gisaient figées sous la glace, et la blancheur rigide s'étendait jusqu'aux points cardinaux. Le noir pourtant cernait déjà de tous côtés cette île blanche perdue dans l'espace et c'est alors que le jeune homme eut la certitude absolue d'être vraiment mort.

Aucune couleur désormais ne l'intéressa plus. Rien ne l'affecta plus. « C'est un mort qui t'écrit » avait-il voulu dire à Anne-Marie lorsqu'il n'avait que vingt-cinq ans, mais il n'est pas facile de mourir à cet âge. Le corps, en animal farouche, se défend contre un esprit même très égaré.

Il avait bien songé jadis à se tirer un coup de fusil de chasse dans la bouche ou à périr dans l'incendie de sa maison comme sa mère, mais l'animal farouche de son jeune corps avait reculé d'effroi devant le vide. Et pourtant un homme ne peut pas continuer à vivre après avoir perdu l'amour. Ou bien il se tue ou bien il tue son coeur, il tue l'espoir, il tue le désir du bonheur, et c'est tout cela que le peintre avait tenté de brûler en lui à grands coups d'alcool. Rien n'est plus difficile à détruire parce que ce sont là les racines mêmes de la vie, mais il faut que cela soit détruit si l'homme ne peut pas s'empêcher de continuer à exister.

Or voici que soudain, en cette fin d'après-midi glaciale de janvier, le peintre ne trouva plus en lui la moindre trace de coeur, d'espoir, de désir de bonheur et à ce signe il lui fut évident qu'il était désormais bien mort. Il ne serait jamais plus mort qu'en ce moment, même après que son corps aurait cessé d'exister. Il lui devenait inutile maintenant de songer à se tuer, il éprouva l'immense détente qu'éprouvent sans doute les défunts, il s'arrêta et pour toujours de boire, et lui, lui qui n'avait jamais dormi en proie à l'anxiété, il s'enfonça chaque soir dans le sommeil profond, sans rêves, de ceux-là qui, sous la terre, regardent se dérouler sans intérêt le cycle imperturbable et monotone du temps.

La vie alors, en cette fin de jour d'hiver, lui apparut sous la forme d'une maison immense dont les murs, le plancher et le plafond étaient blancs et sur laquelle était posé le toit de goudron noir du désespoir.

Il reprit ses pinceaux, ses brosses, ses échelles et peintura les murs, planchers, plafonds, les tables, les chaises, les buffets et son lit, il peintura tout l'intérieur de sa maison en blanc. Puis il nettoya ses pinceaux, changea de seau, et tout l'extérieur : les murs, persiennes, galerie, portes, marches, fenêtres, toit, il peintura tout l'extérieur de sa maison en noir. Il suspendit à la tête de son lit blanc les deux fleurs blanches d'immortelles aux tiges entrelacées et pendant trente-neuf ans il devait vivre seul, bien mort, dans cet étrange mausolée qu'il avait voulu à l'image de la vie et à son image à lui. Car le noir et le blanc, pour lui, étaient les deux pôles identiques d'une même horreur. Le blanc représentait la chasteté que, par fidélité, il devait conserver pendant trente-neuf années ; le noir représentait la fin du rêve rouge et le néant qui cerne l'homme.

Il eut un accident pourtant, un seul. Il se rendit, un soir, poussé par quelque force sourde, à un bordel des Trois-Rivières. Mais c'étaient moins les exigences de la bête qui l'avaient poussé là — lui qui ne pouvait éprouver de désir physique pour aucun autre corps que pour celui d'Anne-Marie — qu'un besoin fort mystérieux d'avilir et la femme et l'amour. Chacun de nous, en effet, et il le comprit bien en cette occasion, cache au profond de lui un être abject capable de cracher à la figure de sa mère, de faire souffrir sa femme, de violer, de tuer, un être abject retenu par la camisole de force des conventions et de la bonne éducation, mais tout prêt à bondir et à qui ne manquent que les occasions de se manifester.

— C'est cinq piastres, lui avait lancé la fille. Pas d'embrassage, pas de taponnage, tu prends ta botte, tu crisses le camp. Lave-toé, niaiseux !

Puis sur un lit aux draps maculés de taches jaunasses, et ne se donnant même pas la peine d'enlever ses bas, elle avait ouvert les cuisses révélant un pubis rasé afin de ne pas donner prise aux morpions. Un pubis aux poils hostiles comme ceux d'une brosse d'acier.

Un homme est un homme, s'était répété le peintre afin de s'excuser mais il ne s'était jamais consolé de cette seule infidélité et pour que le souvenir en restât gravé dans son esprit, il avait marqué d'un coup de pinceau noir le panneau de pieds blanc de son lit.

Ç'avait été là son dernier coup de pinceau. Il avait tout rangé dans le garage et, indifférent désormais à la couleur, il avait opté pour le métier de goudronneur. Et pendant trente-neuf ans, il avait appliqué du goudron noir sur les couvertures. Certes, il avait continué de vivre sur les toits mais le moineau chanteur de ses vingt-cinq ans avait péri avec son coeur. Et celui dont on vit désormais se découper la silhouette sur le ciel ressembla pour toujours à l'oiseau noir du malheur.

Le sixième jour de son voyage, le vieil homme, un peu remis de sa mauvaise fièvre, quitta dans sa Ford déglinguée l'île d'Edisto, reprit l'autoroute malgré la pluie et pénétra en Georgie.

Jamais en trente-neuf ans il n'avait repris une goutte de boisson, et sa vie s'était écoulée vide de tout événement comme celle d'un mort. Il goudronnait les toits, rentrait dans sa maison noire et blanche, fumait quelques pipes de tabac fort puis se mettait au lit, son lit blanc marqué d'une tache noire, où il s'enfonçait dans les abîmes d'un sommeil sans rêves.

Seul le décès du père Papillon, au mois d'août 1948, était venu rompre pour un instant la monotonie de cette vie. Le goudronneur s'était rendu voir le vieux musicien de quatre-vingt-onze ans étendu sur son lit de douleur. Et ce vieillard qu'il avait tant aimé l'avait entretenu longtemps, bien qu'arrachant chaque mot à un tout petit reste de souffle, avec un merveilleux sourire :

— Tu n'es pas heureux, mon garçon, mon bon saxophoniste de jadis, et cela me chagrine plus encore que ma propre mort. Je t'ai appris, note à note, à déchiffrer des partitions mais je suis resté impuissant à t'apprendre la musique du bonheur. Tu étais bien doué pourtant, le plus doué parmi tous ceux de ma fanfare. Ah ! tu n'es pas heureux et il n'est pas impossible qu'avec mes longues antennes de vieux papillon je ne sois en mesure de connaître la cause de ton malheur... mais je ne suis pas le bon Dieu, je ne puis pas changer le cours des choses et jamais d'ailleurs je n'ai discuté devant les décisions souvent étranges du Grand Maître. Pourtant, en ce qui te concerne, si j'ai la chance, là-haut, de glisser un petit mot à l'oreille de Dieu, il me sera bien difficile de ne pas lui faire un petit reproche... tu me comprends, n'est-ce pas ?

Quant à moi, vois-tu, je suis peut-être mal placé pour juger de la vie. J'ai toujours joui d'une excellente santé, mes jours se sont écoulés en compagnie de la seule femme que j'ai aimée, je n'avais de goût que pour la musique et je n'ai fait que de la musique. Aussi, aucune pensée morose sur le noir de l'existence ne tient pour moi devant la beauté d'une fleur, d'un oiseau, du soleil, d'un petit enfant et surtout de la musique. Un monde où l'on peut faire de la musique ne peut pas ne pas avoir de sens. Et c'est pourquoi j'ai tenté de multiplier la beauté : j'ai fait cinq enfants qui ont enchanté ma vie comme des petits papillons et puis j'ai fait de la musique pour agrémenter l'existence de mes concitoyens, car je connais bien, malgré mon bonheur, la souffrance humaine. Toute ma vie, j'ai aidé des foyers malheureux, des familles dont le père était ivrogne, j'ai visité les malades, les défavorisés, les personnes seules, j'ai organisé des fêtes, des comédies, des petits concerts dans les hôpitaux et les foyers de vieillards.

Mais il faut croire que je n'ai jamais été qu'un papillon, que je n'ai jamais été bien profond et c'est tant mieux ainsi. Je crois en Dieu, vois-tu, oh! je sais que tu vas te moquer peut-être de ma naïveté car il y a bien longtemps qu'on ne te voit plus à l'église et que tu ne fais plus tes Pâques, mais je crois en Dieu, je crois aux anges, à sainte Cécile, la patronne des musiciens, et je m'en vais heureux comme j'ai vécu retournant voir mes amis et ma Joséphine qui m'a précédé. Je la vois qui m'attend, toute excitée, trépignant d'impatience comme à l'époque où je l'ai connue et où nous nous donnions des rendez-vous au bout du champ de blé-d'inde de son père. Car là-haut, vois-tu, nous retrouvons nos vingt ans et pour l'éternité. Et tu ne peux pas savoir comme j'ai hâte de la rejoindre, de revoir ses immenses cheveux, sa beauté qui me rendait fou et me faisait courir à travers prés sautant les clôtures pour l'embrasser au bout du champ de blé-d'inde.

Et ne crois pas que je m'en vais m'asseoir là-haut pour me tourner les pouces, non je m'en vais là-haut pour faire de la musique encore car de toute éternité je n'aimerai jamais rien d'autre. Et je crois que sainte Cécile va m'admettre dans son grand concert. Et sur quels instruments magnifiques nous allons jouer, mon garçon! Plus de fausses notes, là-haut, plus de Ti-Draffe oubliant ses partitions, sortant du rang, tombant assis au milieu de la rue, dit-il en riant. Mais on a fait notre possible ici-bas, il ne faut pas être trop sévère, nous étions pleins de petits défauts. Mais la fanfare que je vais organiser là-haut, mon garçon, la fanfare que je vais organiser! Je vais leur dire: « Soufflez un grand coup, jouez fort, j'ai mon ami saxophoniste en bas, sur la terre, et je voudrais qu'il nous entende un peu parfois parmi les vents afin qu'il vienne nous rejoindre! »

Je dis tout cela mais c'est bien dur, tu sais, de quitter cette vie que j'ai tant aimée... pourtant, je souffre le martyre depuis tant de mois à cause d'un cancer, j'ai un trou dans le côté par où s'écoulent mes selles et mes urines et j'ai le corps couvert de plaies de lit et puis je ne peux plus jouer d'aucun instrument, alors je commence à avoir hâte d'être rendu de l'autre côté... Ah ! la fanfare que je vais organiser là-haut, répétait-il, épanoui.

Il entendait déjà les violons, les violes d'amour, les flûtes, les tubas, les clarinettes, les triangles, les trompettes, les grosses caisses, les hautbois et les saxophones célestes. Il se voyait déjà disposant en rangs bien droits les Séraphins, les Chérubins, les Trônes, les Vertus, les Principautés, les Archanges et toute cette troupe exquise s'en allait au pas militaire jouer devant la maison de Dieu comme l'Harmonie Sainte-Cécile, ici-bas, allait jouer devant chez Monsieur le Maire. Et il y aurait peut-être même un jour de fête où l'on jouerait *Le Baiser de la Langue Française* et le *Reviens Dollard,* pourquoi pas après tout ?

Car le vieillard se représentait le ciel comme une sublime clairière. La vie, elle, était une forêt à traverser. Dans l'enfance, à l'orée du bois, on cueillait des fraises, des framboises, des bleuets, des marguerites, on tressait des colliers de pissenlits jaunes puis se dressaient les buissons touffus de l'adolescence où il devenait difficile de trouver le bon chemin. Puis venait l'âge des amours : les nids de mousses, de fougères, la lumière filtrant à travers les grands pins comme à travers les soies d'un ciel de lit nuptial. Et Dieu c'était le soleil, et chaque soir il se cachait pour éprouver la foi des hommes, mais chaque aube il revenait plus beau encore que la veille. On traversait ensuite des zones d'ombre, des touffes épineuses, des enchevêtrements de concombres grimpants, des marécages qu'il fallait franchir sur des troncs d'arbres pourris et glissants. Puis venait la vieillesse, on se retrouvait seul dans d'immenses étendues de forêt détruites par le feu. Les arbres morts entrechoquaient leurs branches comme des os et l'on était la proie de grands frissons en entendant le hurlement des loups et le hululement des hiboux noirs. Mais il fallait continuer de suivre le soleil, ne pas désespérer, ne pas croire que le voyage prenait fin dans cette zone sinistre et puis un jour on débouchait enfin dans la clairière. La clairière des délices où l'on retrouvait toutes les personnes aimées que l'on avait perdues de vue en cours de route, qui s'étaient égarées, qui avaient disparu. Toutes les fleurs et tous les fruits y étaient immortels bien sûr et Dieu trônait, Soleil immense qui ne se couchait plus jamais. La Vierge était assise auprès d'un bel étang, filant sur les quenouilles les tuniques de soie rose dont elle revêtait les nouveaux élus. Et cette robe les rendait tous si légers, si purs, si translucides qu'ils prenaient leur vol semblables à des papillons parmi les papillons plus grands encore et bien plus purs qu'étaient les myriades d'anges puisant les sucs de l'innocence dans les corolles des purs lys de la lumière. Et les rayons de Dieu glissant avec des délicatesses d'archets sur ces myriades d'ailes, emplissant les élus et les anges de musique comme autant d'instrument magiques, répandaient par la clairière les harmonies divines du bonheur éternel.

Deux jours avant qu'on procédât aux funérailles du vieux musicien, le goudronneur, un soir, trouva un petit lys orange dont la tige était coincée dans la porte de sa maison noire. Au salon funéraire, il vit le nom d'Anne-

Marie inscrit sur le registre des visiteurs. Elle était donc venue, seule, de Québec, rendre un dernier hommage au père Papillon. Elle se rappelait la belle soirée d'antan, elle se rappelait donc un peu de son ami ? Mais elle n'avait pas osé ou pas voulu le revoir après vingt et une années d'absence. Une petite larme essaya de monter du coeur mort du goudronneur jusqu'à ses yeux mais sans y parvenir. Il admira la discrétion d'Anne-Marie et il ne l'en aima que davantage.

Même mort, en effet, le goudronneur avait gardé dans sa maison noire et blanche une sorte d'autel à la mémoire d'Anne-Marie. Il y avait, bien sûr, le bouquet d'immortelles suspendu à la tête de son lit mais il y avait surtout, seul objet rouge de la maison, une énorme chaise berceuse en chêne achetée à l'époque démente de son ivrognerie, peinte en rouge bien sûr et conservée intacte dans son espèce de mausolée.

Jamais il n'avait permis à quiconque d'y prendre place et jamais lui-même il ne s'y était assis car cette superbe chaise en chêne était réservée au fantôme d'Anne-Marie. Les premiers temps, il l'y avait imaginée enceinte, puis il avait suivi tous les progrès de la grossesse s'approchant souvent pour caresser, réconforter, pour regarder émerveillé les petits «coups de pieds» du foetus bosseler le ventre de la bien-aimée.

Puis un matin, il l'avait aperçue, épanouie, transfigurée par le bonheur, avec une petite fille entre ses bras, une petite fille rousse avec de grands yeux verts. Et pour que ni la mère ni l'enfant ne prissent froid, il avait disposé sur le dossier, l'attachant à la traverse supérieure, la chemise à carreaux rouges qu'il n'avait cessé jusque-là de porter jour et nuit.

Les heures passées en compagnie de cette chaise rouge avaient été les seuls moments heureux de sa vie et, pour en profiter pleinement, il s'était acheté, peu après l'époque de son ivrognerie, une autre chaise berceuse, énorme également mais fantaisiste, modelée dans le merisier laminé, et dont chacun des deux montants du dossier était couronné par une grosse boule mettant bien en évidence le dessin splendide des lamelles de bois.

Vers les années 50, il avait entendu à la radio l'orchestre de Guy Lombardo interprétant des succès des années 20 et des valses et fox-trot des décades suivantes apparentés par l'atmosphère à la musique de sa jeunesse. Tout de suite emballé, il s'était procuré un phonographe et tous les disques de Guy Lombardo and his Royal Canadians. Et afin d'écouter plus à l'aise, en une sorte d'extase, les saxophones de velours murmurer : *Good night sweetheart, Serenade, Meet me tonight in dreamland, Body and Soul, Tenderly, Just a cottage small, Always, When day is done, Just a memory, Auld Lang Syne (Ce n'est qu'un au revoir), Be careful it's my heart, I'll always be in love with you,* pièces qu'il avait pour la plupart jouées lui-même accompagné au piano par Anne-Marie, il éteignait toutes les lumières, niait le monde et contemplait, des nuits durant, tout près de sa femme et de son enfant, les saxophones enchantés recréer les belles valseuses mortes de la nostalgie évoluant avec élégance sur le velours lunaire des mélodies, et développer par la demeure leurs harmonies comme les larges pièces enveloppantes de l'étoffe somptueuse du souvenir.

Et chaque soir, au retour du travail, il s'était bien campé dans sa berçante en merisier, s'était allumé une pipe de tabac fort et il s'était bercé près de la chaise en chêne rouge dans laquelle il avait immobilisé, toujours âgée de vingt-deux ans, au sommet de sa beauté, telle qu'à l'époque où il l'avait aimée, le fantôme délicat d'Anne-Marie berçant avec une tendresse extrême leur petite enfant aux cheveux roux.

Le soleil brusquement, lorsque la Ford déglinguée eut largement dépassé la ville de Savannah, chassa la pluie et les nues et reprit son empire.

Et tandis que dans la salle d'opération d'un hôpital des Trois-Rivières le chirurgien et son équipe commençaient à désespérer de lui sauver la vie, notre voyageur regarda sur la banquette, à ses côtés, la chemise à carreaux rouges qu'il avait apportée avec lui lors de son départ pour la Floride et qui lui tenait lieu de compagnie.

Quelle excellente idée il avait eue de profiter de ce sursis et de filer vers la chaleur, se répétait-il au moment où, passant à proximité de Jekyll Island, il sentait remonter en lui l'amour du monde et des couleurs qui jusqu'à vingt-cinq ans avait comblé son coeur.

Certes, pendant ses trente-neuf années de mort, il aurait eu maintes occassions d'oublier sa douleur, de tout recommencer avec une autre femme. Il avait été bel homme, courtisé, mais son existence, toute atroce qu'elle avait été, ne lui avait semblé acceptable que de cette seule façon. Il avait préféré sa vie ratée et fidèle à une vie peut-être réussie et qui fut parvenue à lui faire oublier son grand amour pour Anne-Marie.

Du moins en avait-il été ainsi jusqu'à soixante-neuf

ans, jusqu'à ce que ses jambes vinssent à lui manquer et voici que soudain, le nom de Jekyll Island évoquant en lui le personnage tourmenté d'un film d'horreur qu'il avait déjà vu et qui racontait l'existence double du docteur Jekyll et de monsieur Hyde, voici qu'un nouvel être se mit à bouger en lui, un nouvel être qui était en fait le plus ancien et qui voulut prendre le contrôle de son esprit et de son cœur.

Et lorsqu'il s'arrêta, au soir, dans un motel de Port Orange, près de Daytona, après avoir roulé pendant des heures parmi les palmiers, les citronniers, les cocotiers, les bougainvilliers roses et des orgies de fleurs, l'être nouveau en lui s'agitait avec tant d'allégresse qu'il lui sembla que le soleil, dans l'air chaud encore du crépuscule, était l'orange immense du plaisir tournant sur le presse-jus de la vie, et que son corps entier de mort de soixante et neuf ans rutilait maintenant parmi les sucres jaunes du désir.

Le lendemain, il se leva tôt. A l'aide d'ustensiles ayant appartenu à sa grand-mère, il déjeuna d'un gros pamplemousse rose dont il découpa les sections, qu'il recouvrit d'un restant de sucre acheté à Edisto et dégusta goulûment jusqu'à l'écorce, et lorsqu'il sortit dehors, face à la mer, le jour qui commençait s'ouvrit pour lui pareil aux deux moitiés pulpeuses du pamplemousse rose de la joie.

Il s'étonna de la très forte rosée tombée pendant la nuit et qui dégoulinait encore des palmiers mais lorsqu'il monta dans son auto brillante comme une goutte d'eau dans la lumière du matin, il lui sembla qu'il entreprenait la septième journée de son voyage à bord même du soleil levant tout ruisselant encore des écumes de la mer.

Un coup d'oeil distrait aux journaux exposés à la porte du motel lui remit en mémoire que les professionnels du baseball de l'équipe des Expos de Montréal avaient ici à Daytona leurs quartiers d'hiver où ils venaient s'entraîner pour la saison d'été. Et cette simple photo aperçue par hasard lui remit d'un seul coup dans le coeur toute l'ardeur de sa jeunesse. Que de bonnes suées par les après-midi torrides d'août ! Quelle sensation de plénitude dans les muscles ! Que de games chaudement disputées ! Et quelle impression d'éternité ; quelle joie de jeunes dieux lorsqu'ils lançaient dans l'air leurs casquettes poussiéreuses après la victoire ! « Out ! » criait l'arbitre. Et le vieil homme se revoyait se levant de son banc de bois pour prendre la place d'un camarade furieux qui venait de lancer son bat dans le ball-stop. Il se revoyait, relevant sa casquette, se crachant dans les mains, les frottant avec une pincée de terre, saisissant son bat préféré. « Come on, boy, come on, boy » marmonnait-il entre ses dents tandis qu'il étudiait les intentions du pitcher. « Come on, boy », marmonnait-il car selon l'usage de l'époque, pour « faire Américain », les jeunes Canadiens français s'exprimaient presque totalement en anglais durant une joute de baseball. « Ball one ! » criait l'arbitre, « Ball two ! », « Strike ! » criait de nouveau l'arbitre, « Strike one ! » et la balle claquait avec force dans la mit du catcher. Mais toute l'assistance savait qu'il laissait toujours passer quelques balles pour connaître les effets du pitcher. Et lorsque le pitcher malgré toute sa mise en scène de coq pivotant n'avait plus rien à lui apprendre, le peintre frappait la balle avec une force incomparable l'expédiant, sous un tonnerre d'applaudissements et de cris, bien au-delà de la clôture qui fermait le terrain. Presqu'à chaque game, il frappait un ou deux home runs faisant au petit trot le tour des trois buts et saluant la foule en délire. Ah ! quelles années merveilleuses que toute cette époque d'avant le mariage d'Auguste !

Et soudain, il se revit sur le pompeur, en cette fois où Auguste et lui s'étaient rendus avec Anne-Marie jusqu'à La Baie par voie de chemin de fer. Et c'est en pompeur soudain qu'il eut l'impression de foncer sur les rails éblouissants de lumière de l'autoroute de la Floride. Il n'avait plus que deux cents milles environ à parcourir avant d'arriver à Tampa, aussi ralentit-il sa course pour profiter pleinement du jour qui continuait à juter autour de lui comme la pulpe d'un grand pamplemousse rose.

Il regarda, comme avec un certain recul, le jeune homme qui conduisait sa Ford transformée momentanément en pompeur et lui, mort depuis si longtemps, eut quelque difficulté à se reconnaître dans ce personnage. Le Docteur Jeckyll du film qu'il avait vu jadis était un savant puritain, au col empesé de dignité, qui était parvenu pourtant à libérer de ses profondeurs le monstre velu et sanguinaire que chacun porte en soi, et ce monstre, racontait l'histoire, avait fini par remplacer complètement, sous le nom de Mr Hyde, le vieux savant dont l'esprit jusque-là avait été entretenu comme son col dans l'empois rigide des conventions.

Le vieil homme, pendant un moment, crut apercevoir Mr Hyde, velu, actionnant le pompeur, mais les poils hirsutes s'envolèrent bien vite dans la lumière et c'est avec épanouissement que le vieux goudronneur à la retraite finit par reconnaître dans cet être neuf qui voulait prendre les commandes de son esprit et de son coeur le jeune homme exalté qu'il avait été jusqu'à l'âge de vingt-cinq ans.

Les yeux mouillés de joie par une grande rosée intérieure qui annonçait en lui un lever de soleil qui ne s'était plus produit depuis trente-neuf années, le vieil homme s'arrêta sur le bord de la route. Et c'est en proie à l'émotion la plus intense qu'il laissa monter en toute liberté dans le ciel noir de sa détresse l'astre immense et rouge de son ancien rêve de feu.

— C'est à vingt ans, dit-il, c'est à vingt ans que j'aurais dû venir ici, foncer jusqu'ici sur le pompeur fou de ma jeunesse.

Il sortit de sa voiture, caressa le jour pulpeux dont il lécha les jus sucrés sur ses doigts. Depuis plus d'une heure, il roulait parmi des vergers d'orangers et de pamplemoussiers. Des papillons jaunes, pareils à d'énormes fleurs, voletaient parmi les fruits. De tout petits lézards verts montraient leur tête entre les feuilles pointues de plantes étranges qui étaient des agaves mais que le vieil homme ne savait pas encore identifier. Des cardinaux par dizaines jaillirent soudain comme des graines pourpres lancées par les arbres afin d'ensemencer le monde, et l'homme, assis sur l'aile avant de son auto, se rappela qu'il avait tant de fois rêvé de projeter ainsi par l'univers des gouttes de peinture rouge qui n'étaient rien d'autre que les graines de feu du beau fruit de son coeur. Et si le corps d'Anne-Marie avait été un champ fertile en plein soleil, toutes les graines rouges de son coeur y auraient fait germer des pleins vergers de papillons, d'oiseaux fabuleux et de petits enfants, l'oeil vif comme celui des lézards et dont les têtes rousses épanouies de rires auraient brillé pareilles à ces oranges parmi les feuilles fraîches du bonheur.

De l'autre côté de la route s'ouvrait un comptoir où l'on vendait des pacotilles, des souvenirs, des sacs d'oranges et de citrons. Le vieil homme y acheta des livres sur les oiseaux, les arbres, les fleurs et les poissons. Il acheta des bonbons aux pacanes qu'il trouva délicieux puis deux grands sacs de fruits.

L'homme qui tenait le bazar répondait à toutes ses questions par un sourire jaune comme l'écorce des citrons car dans le rêve du vieil homme, depuis son entrée en Floride, si personne ne prononçait un mot, tout le monde arborait un merveilleux sourire clair comme les fruits et comme les fleurs. Le vendeur insistait pour qu'il goûtât aux diverses variétés d'oranges, de limes, de mandarines, de tangelos et le convainquit finalement de croquer à belles dents une toute petite orange, pas plus grosse qu'une prune, appelée kumquat. On mangeait le kumquat au complet, l'écorce et tout, on faisait une grimace puis on éclatait de rire. Et le vieil homme se prit à penser que sa vie à lui avait été un petit fruit acide comme celui-là, une sorte d'erreur de la nature. Mais ici, en Floride, ces petits fruits-là, on en faisait une bonne blague. On les croquait, on faisait une grimace, on éclatait de rire puis on continuait de vivre avec du soleil plein la figure. Voilà comme il aurait dû réagir jadis, voilà de quelle façon saine il aurait dû considérer sa vie au lieu de s'arrêter au goût amer d'un seul amour et de cesser de voir les autres fruits sucrés dont regorgeait la nature.

— C'est à vingt ans que j'aurais dû venir ici, se répétait-il. Je n'ai eu qu'une seule vie et je l'ai passée seul là-bas enfoui dans la neige. Mais il faut être fou ou bien il faut aimer la mort pour passer toute son existence dans la neige ! Il faut ignorer tout ce qu'est la vie ou bien ne pas vouloir savoir ce qu'est la vie ! C'est à vingt ans que j'aurais dû venir ici et n'en plus jamais repartir.

Il n'aurait pas connu Anne-Marie, pensa-t-il brusquement. Et puis après ? Et puis après ? Souffre-t-on de ce qu'on ne connaît pas ? Et puis cette rencontre était-elle si nécessaire qui avait détruit sa vie entière ? Ah ! comme l'existence aurait été différente ici et s'il n'avait jamais aimé cette femme. Quelle fatalité avait donc tracé le plan atroce de sa vie ? Pourquoi était-il né là-bas, au nord, au nord de la joie simple d'exister en plein soleil ? Pourquoi n'avions-nous qu'une seule vie sur laquelle nous demeurions sans emprise aucune ? Mais peut-être, se révolta-t-il, peut-être n'avons-nous pas qu'une seule vie ? Peut-être est-il en notre pouvoir de changer la direction de notre destin ? Si la naissance et l'hérédité sont toutes décidées d'avance, rien ne nous oblige à accepter notre destin lorsqu'il nous est contraire ! L'homme, comme la profusion de la nature, a dix, cent, mille vies ! Il ne dépend que de lui seul de se réinventer, de se remettre au monde après une naissance avortée, et son amour pour Anne-Marie avait été une naissance avortée. Pourquoi être resté pendant autant d'années comme un foetus mort-né ? L'homme a dix mille vies ! criait une voix en lui. Comment avait-il pu ignorer cette vérité jusqu'à cet âge ? Etait-ce parce qu'au nord, à cause des nuages noirs, à cause des hivers, était-ce parce que les gens étaient avares, inquiets, tout repliés sur leur petite vie comme sur l'une des fleurs rares de l'été, comme sur l'un des rares jours de soleil, comme si la neige allait venir tout recouvrir d'un coup et pour toujours ? Les gens du nord lui apparurent soudain pauvres en pollen, en couleurs, en pétales, en odeurs. Ici, tout foisonnait. Ici, la vie était multiple, excessive, surabondante. Et une exaltation extraordinaire s'empara de lui à cette révélation que la vie elle aussi est multiple et se refait, que l'amour même se refait comme les fleurs, comme les fruits, comme le soleil neuf qui chaque jour, ici, jaillit d'un sol où il n'a rien à craindre de la mort. Il croqua de nouveau un kumquat, fit une grimace et le cracha dans le soleil avec force et allégresse comme s'il eût craché d'un coup sa vie amère et ratée.

Il s'arrêta, cent milles plus loin, dans un champ de tomates où un écriteau invitait les passants à venir faire leur propre cueillette. Accroupis sous de larges chapeaux, les gens levaient vers lui des visages écarlates de plaisir comme les beaux légumes dont ils remplissaient leurs paniers.

Le vieil homme, à quatre pattes sur le sol, se mit à fouiller parmi les feuilles s'emplissant les mains de tomates énormes avec l'impression d'extraire des glaises de son passé des soleils ronds, bien fermes, qu'il frottait contre l'étoffe de sa chemise pour les faire briller. Sa vie morte lui apparut comme une sorte de terre aride où il allait désormais gratter de tous ses ongles pour redécouvrir tous les soleils enfouis par sa détresse. Il n'était pas trop vieux encore, il allait arroser, labourer de sillons, engraisser son sol ; des potagers et des vergers allaient lever encore en lui, il allait presser dans ses mains encore les tomates pourpres et les oranges et les citrons, les pamplemousses roses de la joie.

Il s'épongea, caressa de nouveau le jour qui demeurait juteux comme la pulpe et s'arrêta plus loin, aux environs de Sun City, dans un immense champ de fraises où les voyageurs étaient de nouveaux invités à venir faire leur cueillette.

Il en remplit de pleins casseaux, se fourrant des poignées de fraises dans la bouche, étourdi de délices parmi les papillons jaunes gros comme des fleurs. Et le soleil toujours qui planait dans le ciel, ses ailes de rayons ouvertes comme celles d'un cardinal géant se rengorgeant et ne cessant de gazouiller sa chanson de lumière.

Le vieil homme soudain regarda ses mains toutes empourprées du jus des fraises et ce sont les petites mains d'Anne-Marie qu'il revit couvertes du sang des mûres et pendantes de désarroi parmi les fleurs blanches. Et les paroles bouleversantes de la jeune fille lui revinrent par bribes à la mémoire : « On dirait que mes mains sont couvertes de sang... J'ai une peur terrible de l'amour. J'ai peur de faire souffrir. Je ne voudrais pour rien au monde que quelqu'un souffre un jour à cause de moi. Et là, les mains pleines de sang, j'ai l'impression d'avoir arraché des poignées de petits coeurs et je voudrais presque recoller chaque mûre à sa tige... Et puis j'ai peur aussi que des mains violentes viennent tout briser en fouillant mes feuillages intérieurs et qu'elles arrachent mon coeur et qu'elles le laissent là, dans ma poitrine, tout seul, broyé dans son sang rouge comme un fruit perdu... »

Alors le vieil homme écrasa avec rage des poignées de fraises entre ses mains tandis qu'une voix criait en lui : « Regarde, Anne-Marie, regarde le beau jus rouge ! Toi aussi tu as eu peur de la vie, toi aussi tu as raté ta vie par peur, par repliement sur ton petit coeur avare et tremblant. Mais dans quelle sorte de pays avons-nous donc vécu, mon amour ? Mes mains ne sont pas pleines de sang, elles sont pleines de jus, pleines du jus rouge de la vie, pleines du jus rouge de l'amour ! Les coeurs sont faits pour être

182

bien broyés sous les étreintes et pour donner leur jus, tout leur jus rouge et que cela ruisselle dans les corps. Regarde comme mes mains sont belles, regarde elles sont rouges comme les mains mêmes du soleil, elle sont rouges comme les mains de l'amour. Et quand il n'y a plus de fraises, on en fait pousser d'autres, on en ramasse d'autres, on les écrase encore, on barbouille la face du monde avec le beau jus rouge et la face du monde est radieuse comme celle d'un enfant gourmand qui se fout de la confiture jusque dans les cheveux ! Car je n'ai pas qu'un petit coeur serré, caché, enfoui parmi les ronces de ma peur, j'ai des milliers de coeurs, des milliers de coeurs que je voulais jeter à pleines poignées entre tes mains, sans arrêt, jusqu'à la fin de nos jours car mon amour à moi était immense, inépuisable comme ce champ de fraises, je voulais t'emplir de fruits, de jus, nous aurions vécu fous comme des enfants gourmands, les joues, le corps et l'âme ruisselants des jus rouges et des sucres du bonheur...»

Au comble de l'exaltation, le vieil homme s'arrêta et se remit debout, chancelant de désarroi au spectacle de ses larges mains toutes ruisselantes d'amour inutile. Il chercha des yeux Anne-Marie à qui il croyait avoir parlé dans le champ de mûres mais il ne retrouva nulle trace de la jeune fille, et il demeura là, énorme tout à coup, comme s'il fut devenu l'incarnation même de tous les malheureux qui, depuis le plus lointain des temps, ont tendu vers des coeurs indifférents leurs deux mains pleines des jus rouges de l'amour.

Il se souvint qu'il avait soixante et neuf ans, qu'il était dans un champ de fraises, quelque part dans un coin perdu de Floride, dans un coin perdu de la terre, elle-même petite planète dans un coin perdu de l'univers, lorsqu'un parfum de fleurs de citronniers soudain vint lui sauver la vie. Le parfum, comme un baiser, vint effleurer ses vieux yeux embués de tristesse, des cardinaux chantèrent passant tout près de lui tels des fraises volantes, et le pauvre homme se rappela les dernières paroles du père Papillon. Une terre qui produit un parfum de citronnier, se répéta-t-il, ne peut pas ne pas avoir de sens. Elle a au moins ce sens-là qui est de produire des fleurs de citronniers et n'est-ce pas là, au fond, tout le sens ? Et ne devrait-il pas suffire que la terre au moins produise des parfums ?

Et c'est alors que pour la première fois il aperçut, au bout du champ, un arbre tout entier fleuri d'orchidées. Il n'avait vu d'orchidées qu'une fois au corsage d'une mariée. Mais un arbre entier, très haut, était là, devant lui, chargé de milliers d'orchidées roses. L'après-midi déjà tirait à sa fin et le vieil homme ne sut plus exactement s'il avait bien devant les yeux un arbre d'orchidées ou si ce n'était pas plutôt le ciel, couvert de tous petits nuages roses, qui faisait fleurir pour lui, tel l'arbre immense de l'amour, les mille et mille orchidées roses qu'il aurait voulu poser au corsage d'Anne-Marie puisqu'il l'avait aimée plus que mille et mille hommes à la fois et puisque plus de mille et mille fois il l'avait épousée dans le plus tendre de ses rêves.

Le soleil soudain fut un papillon jaune immense posé sur l'arbre rose de l'amour, et le vieil homme ne demanda plus à la vie que quelques instants de beauté comme celui-là, essayant de mettre tant de fruits, de papillons, d'oiseaux, de parfums et de fleurs dans son coeur que cela lui monte en bouquet jusqu'aux yeux, en bouquet si touffu qu'il lui soit impossible de plus rien voir d'autre et que cela ressemble un tout petit peu au bonheur.

Quelques milles à peine le séparaient maintenant d'Anna Maria Key et déjà, sur les plaques d'immatriculation des automobiles des insulaires, il pouvait lire l'inscription « *Anna Maria is for the birds* ».

Anne-Marie, effectivement, n'avait jamais été pour lui autre chose qu'une île lointaine à laquelle n'avaient eu accès que les oiseaux de ses songes, et, dès qu'il fut sur Anna Maria Bridge, il reconnut dans les aigrettes immaculées ses songes d'innocence envolés tant de fois vers la jeune fille ; les hérons bleus étaient des larmes lourdes flottant dans l'espace, les cormorans noirs au bec de feu les oiseaux aigus de ses détresses au bec brûlant de désir, les cigognes ses songes de petits enfants déposés dans le ventre d'Anne-Marie, et partout par milliers les mouettes blanches au long vol doux caressaient les abords de l'île ainsi que l'avaient fait, toute sa vie durant, ses songes de tendresse enveloppant l'image de la bien-aimée.

Tout le jour, progressant de beautés en beautés, il s'était répété : « On ne doit plus être bien loin du Jardin des Délices » et plus d'une fois il s'était attendu à rencontrer, alanguis sous les palmes, titubants de parfums, Adam et Eve nus sur le point de croquer une orange peut-être fatale.

Et maintenant, hanté par son éducation chrétienne, il était pris d'anxiété car chaque fois qu'il s'était approché, depuis sa toute petite enfance, de quelque chose de beau, de convoité, il avait redouté de voir surgir l'ange à l'épée de feu lui en interdisant la possession. Mais aucun ange ne gardait les portes d'ailleurs absentes de l'île. Il suffisait d'y vouloir pénétrer.

Un sentiment de pudeur étrange soudain l'envahit car il eut l'impression d'être tout près d'Anne-Marie, tout près et de pénétrer même en les formes exquises de son secret. Lorsqu'il avait choisi, sur la carte, cette île inconnue, il n'avait pu l'imaginer qu'à l'image de la jeune fille de jadis et c'est elle-même effectivement qu'il reconnut en l'apercevant. Il l'aima tout de suite à la folie comme il avait aimé dès le premier instant Anne-Marie. Et cette île était bien une femme aux cheveux d'arbres fleuris d'orchidées roses, à l'esprit pétillant de petits oiseaux jaunes, aux parfums langoureux et colorés comme des fleurs, et toute la lumière de la joie dansait sur la blancheur éblouissante de son corps de sable fin délicieusement vêtu de la robe de satin vert infinie de la mer.

En proie au plus total ravissement, fou comme un amoureux, le vieil homme parcourut en tous sens les cinq ou six milles de longueur de cette île dont la largeur n'excédait pas quelques milliers de pieds. Sur le front d'eau, d'anciennes résidences camouflées parmi les fleurs alternaient avec des motels dont les prix hélas dépassaient les moyens limités de ses économies. Enfin, tout à fait par hasard, il découvrit dans un coin très paisible d'une impasse minuscule appelée Mourning Dove Road un chalet d'apparence modeste qu'il loua pour la somme de cent dollars par mois. La cabane sur ses quatre poteaux de bois qui la protégeaient mal des termites et des fourmis ouvrait de grands yeux navrés de moustiquaire déchirée. Un petit living-room au prélart racorni donnait sur une cuisinette où le trop gros vieux réfrigérateur coinçait un poêle dont deux ronds sur quatre fonctionnaient et un évier au fond de porcelaine écaillé. Un grand lit de fer au matelas très mou, une chaise berceuse en rotin, une table antique aux pattes énormes complétaient l'ameublement tandis que d'innombrables coquillages collés en arrangements floraux sur des morceaux d'étoffe étaient suspendus dans des cadres d'un goût douteux. La vieille propriétaire, bossue, trottinante, ressemblait à sa cabane mais elle ressemblait aussi à la Floride car un merveilleux sourire s'épanouissait tel une fleur dans son visage plissé.

Il allait faire bientôt nuit et le vieil homme, pressé d'être heureux, loua sans se préoccuper davantage d'un confort somme toute fort acceptable dans un pays où la vie se déroule dehors, au soleil, sur la plage immaculée, parmi les hibiscus et les citrons et les oiseaux.

Il remonta dans sa voiture pour se rendre jusqu'au quai de Manatee au bout duquel il alla s'asseoir pour regarder, ainsi qu'il l'avait fait chaque soir de sa vie, le soleil admirable descendre sous l'eau.

Des vagues énormes venaient frapper les piliers de béton du quai recouvert d'algues et de mollusques aux écailles tranchantes. Tout le ciel était tacheté de petits nuages rouges comme si la nature, en grosse enfant gourmande, avait passé le jour à fouiller dans les fraises et s'était barbouillé la face avec ses doigts pleins de jus rouge. Les nuages soudain furent les gouttes de peinture rouge que le petit garçon jadis répandait sur des feuilles de papier immenses, et tous les désirs insensés de sa jeunesse envahirent de nouveau l'esprit du vieil homme. Des barques de pêcheurs rentrant de l'horizon avec de grands filets lui rappelèrent le métier de son père et leurs folles tentatives d'aller capturer le soleil. Toute sa vie, au fond, n'avait été hantée que par un seul grand rêve qui était celui de capturer le feu afin de s'y enfouir pour ne jamais mourir de froid, de capturer l'amour afin de s'y enfouir pour ne jamais mourir tout court. « Si le soleil veut disparaître, qu'il disparaisse, avait dit son père en riant, on s'en fiche pas mal. On va entourer la maison de tournesols et nous allons avoir nos propres soleils à nous ! » Mais son soleil à lui ç'avait été Anne-Marie et s'il l'avait pu attraper dans les filets de sa tendresse il se serait fiché pas mal que le soleil du monde disparaisse à l'horizon. Il aurait eu le sien et éternel.

— Anne-Marie, murmura-t-il en s'adressant au ciel dont les nuages roux foncé maintenant lui apparurent être les taches de rousseur du visage de sa bien-aimée, c'est comme ce ciel entier que j'aurais tant voulu voir ta figure s'épanouir de joie.

Mais Anne-Marie, lui semblait-il, avait eu peur de tous les fruits, de toutes les fleurs qu'elle portait en elle, peur de sa propre profusion, peur du luxuriant Jardin d'Eden dont ils auraient rouvert les portes ensemble.

Et la jeune fille tant aimée jusque-là lui apparut soudain monstrueuse comme si la Floride, refusant ses fruits, ses fleurs et ses oiseaux, les avait tous repris, tous enfouis dans son ventre, ne leur avait jamais permis la libre éclosion dans la lumière et s'était transformée en quelque continent aride, mort. Comme si le soleil avait refusé, au début du monde, de se lever pour rester à l'abri sous les eaux tièdes par peur de se consumer en plein ciel. Comme si toute la création avait refusé d'exister. Et voici qu'il se mit à la plaindre plus que lui-même car il l'aimait infiniment plus que lui-même. Ce n'était pas tant d'avoir raté son amour à lui qui importait, du moins essayait-il de s'en convaincre ; la véritable catastrophe, c'est qu'Anne-Marie s'était elle-même ratée ; ah ! elle se disait peut-être heureuse avec Auguste, ça il n'en savait rien et il n'en voulait rien savoir ; mais pour lui, même heureuse avec Auguste, elle n'avait jamais connu l'épanouissement fabuleux auquel la destinait sa vraie nature, elle ne s'était jamais réalisée, elle était demeurée pareille à quelque nébuleuse appelée à devenir soleil mais à jamais avortée quelque part dans un coin perdu des cieux.

Emporté par sa critique, il se surprit soudain, et pour la première fois, à jeter un regard objectif sur cette idole qu'il avait toujours religieusement conservée sur l'autel de son cœur. Mais aurait-il vraiment connu un tel bonheur avec une femme aussi habitée de tourments qu'elle ne comprenait pas ? aussi irrationnelle, attirée à la fois par le feu de la passion et par les eaux apaisantes de la sécurité ? Elle était orgueilleuse, de caractère difficile comme lui. Peut-être avait-elle eu raison de craindre pour l'union de deux êtres aussi semblables ? Et lui qui jusque-là avait refusé d'apercevoir la moindre faille dans le marbre si pur de son idole, il s'étonna d'y découvrir aussi une fine couche de poussière accumulée par tant d'années, car tout cela, en fin du compte, était bien loin. Anne-Marie, aujourd'hui, était une vieille femme comme lui...

Le merveilleux visage du ciel pourtant, tout tacheté des grains de beauté roux des nuages, chassa cette vision et c'est vers lui que le vieil homme tourna ses regards.

N'avait-il pas au fond lui-même eu peur des flammes consumantes de l'amour ? N'avait-il pas évité les gestes positifs qui lui eussent assuré la conquête d'Anne-Marie afin de conserver en lui une image parfaite plutôt que de risquer la vraie vie avec une vraie femme de chair ? N'avait-il pas au fond eu peur que leur amour ne vienne à se banaliser comme celui de tant de ses amis ? N'avait-il pas préféré l'aimer ainsi, en lui, objet impérissable d'adoration, plutôt que de la voir souffrir, perdre de sa beauté, vieillir à ses côtés ? Car, de même qu'aucun ange à l'épée de feu ne gardait les portes de l'île d'Anna Maria, aucun gardien non plus n'avait empêché jadis l'entrée du jardin de l'amour. Et il comprit soudain que le seul ange à l'épée de feu qui soit est celui-là que chacun porte en lui, que cet ange est son refus d'être heureux, sa crainte que le bonheur ne dépérisse dans la réalité du quotidien, et que seule la peur d'être heureux ou la peur que le bonheur ne se banalise interdisait l'entrée au Paradis de l'Amour.

— Mais de quelle aberration avons-nous donc été la proie ? s'écria-t-il, soudainement soulevé de révolte. Nos fruits sont-ils plus beaux d'être restés enfouis en nous ? Imagine-t-on un arbre refusant ses feuilles sous prétexte que quelques-unes d'entre elles vont être déchiquetées par les chenilles ? Non, il aurait fallu aller jusqu'au bout de l'existence ! La Floride, elle, était belle avec tous ses fruits, ses fleurs, ses mouches et ses termites. Des fruits énormes, divers, superbes, pleins de jus et d'autres desséchés, mangés par les insectes. Des zones foisonnantes de beautés, des marécages grouillants de serpents venimeux. Non, il fallait risquer les branches lourdes de joies folles et d'épines et lui aussi était coupable de n'avoir point forcé les portes d'ailleurs imaginaires du Paradis perdu. Lui aussi était une nébuleuse avortée qui avait effleuré la nébuleuse d'Anne-Marie sans s'y heurter, sans s'y fondre en un seul astre plus éblouissant qu'un million de soleils !

Et le vieil homme, assis seul sur le bout du quai de Manatee, entretenait en lui cette exaltation préférant s'accuser de tous les torts, préférant croire qu'il aurait suffi de quelques gestes décisifs pour changer son destin, préférant s'étourdir de grands rêves irréalisés, écrasant ainsi au fond de lui, refoulant au plus profond de lui une pensée, une seule, qui l'avait hanté toute sa vie et qui, ce soir, tentait de remonter face à l'immensité de l'océan, face à l'immensité du vide vers lequel il sentait l'âge le pousser.

Et cette pensée, unique, hallucinante, c'est qu'il craignait de n'avoir pas été aimé mais cela il ne pouvait pas l'accepter, il ne voulait pas même y réfléchir. Il préférait se convaincre qu'Anne-Marie avait eu peur de la vie, peur de son amour passionné et le plus terrible c'est qu'il avait sans doute raison. Mais le doute revenait le harceler ce soir. Le doute insupportable. Car une seule chose l'avait empêché de se tuer, et cette chose c'était qu'il s'était répété, toute sa vie durant, qu'au moins pendant quelques minutes il avait été vraiment aimé.

Le bouquet d'immortelles, leurs doigts entrelacés, le portrait d'enfant conservé toute une nuit, les frissons de l'émotion trop intense, la chemise à carreaux rouges dont il avait recouvert les épaules et le coeur de la jeune fille,

:on regard trop brûlant qu'elle était incapable de soutenir, le lys sauvage déposé près de sa porte la veille de l'enterrement du père Papillon... et le vieil homme accumulait, ainsi qu'il n'avait pas cessé de le faire pendant trente-neuf années, les miettes, les parcelles de souvenirs comme si ce tout petit tas de pétales racornis par le temps allait composer enfin la grande fleur pourpre de l'amour.

Il se leva, en proie à l'agitation la plus extrême. Le soleil, très loin, comme la tête rousse d'Anne-Marie, se noyait en silence sous les flots. Et tout le ciel, tacheté de grains de beauté, tout le ciel emporté dans la nuit des temps était la figure impassible, impénétrable de cette femme dont il n'aurait jamais su s'il avait conquis pendant quelques instants l'amour. Il cria à la tête noyée : « Tu représentes tout ce dont j'ai toujours rêvé ! Tu me l'as dit cela, Anne-Marie, tu me l'as dit, je ne suis pas fou, j'ai entendu, tu me l'as dit, n'est-ce pas ? Je ne l'ai pas seulement imaginé, réponds ! réponds ! Tu m'as au moins aimé pendant une seconde de folie, je ne demande qu'une seconde de folie ! réponds ! réponds ! »

Mais la nuit recouvrit de silence les lèvres rouges de la noyée et le vieil homme faillit se laisser choir contre les piliers tranchants du quai pour que son cœur soit déchiré parmi l'écume et que son sang jaillisse en taches pourpres, indélébiles et à jamais accusatrices jusqu'en pleine figure de nuit noire des dieux cruels.

Alors, rasant la crête des hautes vagues, planèrent en file muette au-dessus du néant de la mer les lourds pélicans mauves de la tristesse éternelle du monde.

Epuisé par cette longue randonnée à travers les Etats-Unis et par cette autre randonnée, combien plus pénible, à travers le pays désolé de ses souvenirs, le vieil homme dormit aussi mal qu'à l'époque de sa jeunesse et décida de passer la matinée au lit.

Dès l'aurore son attention fut attirée par un chant étrange composé de cinq notes : «Hou-hou—hou—hou-hou» les deux premières très brèves et liées, la troisième isolée et longue, les deux dernières brèves et détachées. Et ce chant, inlassablement répété, qui lui sembla humide et mauve comme les premières lueurs de l'aube, versa dans son coeur une telle mélancolie que le vieil homme, croyant entendre la plainte de quelque jeune femme morte appelant du fond des siècles son amant perdu, écarta les rideaux pour en connaître la provenance. Il distingua parmi les palmes un petit pigeon mauve esseulé qu'il prit d'abord pour une tourterelle mais, s'étonnant que cet oiseau fasse entendre un cri si semblable à celui de la petite chouette ou de l'engoulevent, il feuilleta l'un des livres achetés la veille et finit par découvrir qu'il s'agissait là du mourning dove ou colombe éplorée. Et malgré la beauté de l'oiseau et de son chant, l'homme, pendant quelques instants, regretta que le sort lui eût fait précisément trouver logis dans une impasse qui portait le nom de Mourning Dove Road.

« Hou-hou—hou—hou-hou » chantait l'oiseau, et à chaque reprise de la complainte une fascination de plus en plus obsédante pénétrait la sensibilité de l'homme comme l'humidité du matin pénètre la peau, car ce chant-là était à mi-chemin du roucoulement amoureux de la tourterelle et du sanglot sans fin d'une jeune amante morte : l'extase amoureuse et la détresse d'amour fondues en un seul chant. Et il sembla à l'homme que cet oiseau-là, depuis trente-neuf années, chantait parmi les tournesols desséchés de son coeur. C'était son coeur mauve exhalant face au soleil levant tout son désir et toute sa tristesse d'amour. Car son chagrin à lui était un mélange d'extase roucoulante et de désolation sans bornes et les deux s'étaient si emmêlées au long des années qu'il n'était plus possible désormais de les dissocier. Le seul nom d'Anne-Marie évoquait à la fois, confondus, les délices de l'amour naissant et le plus absolu désespoir.

« Hou-hou—hou—hou-hou » chantait la colombe é-plorée, et à mesure que le vieil homme reconnaissait ce chant pour sien, une idée nouvelle prenait forme en lui. Ce chant-là, ce mélange d'extase et de mort, n'était peut-être pas que le chant de son seul coeur mais le chant même de l'amour, partout, dans tous les coeurs et dans tout l'univers.

Son amour à lui, certes, était un désastre, mais tout amour, au fond, même réussi, n'était-il pas essentiellement tragique ? Il n'avait peut-être jusque-là rêvé qu'en adolescent son union avec Anne-Marie ? Il s'était enivré des parfums euphorisants de l'amour absolu comme un narcomane extrait l'opium de la fleur pourpre du pavot. Mais cette union, dans la réalité, lui aurait-elle apporté plus de bonheur qu'à ses amis ? Tous, en effet, s'étaient venus plaindre à lui, quelque jour, de l'atroce solitude à deux à laquelle ils s'étaient trouvés confrontés après plusieurs années de mariage. « Toi au moins, tu as été assez intelligent pour ne pas te marier », lui avaient-ils dit d'un air envieux, car ils ne pouvaient pas savoir que la seule femme à qui il aurait tout donné, avec qui il aurait désiré faire toutes les expériences de la vie, n'avait pas voulu de lui. Tous s'étaient plaint de l'ennui, de l'affadissement de l'émotion ; un matin, leur femme était là, nue, à leurs côtés, mais dépouillée d'attirance comme si l'emerveillement, pendant la nuit, s'était détaché d'elle comme une peau chiffonnée, toute effritée entre leurs deux corps sur le drap blanc du lit. Puis les enfants, en grandissant, leur avaient causé mille misères, s'étaient souvent montrés cruels, puis ils étaient partis visiblement contents d'en avoir fini avec ceux qui leur avaient fait le cadeau si discutable de la vie.

Pourquoi l'amour, au fond, ferait-il exception à la grande loi impitoyable de la nature qui fait naître, fleurir, dépérir et mourir sans la moindre pitié ? Et la fleur n'est jamais si près de sa fin qu'au plus plein de son épanouissement. Elle ouvre au maximum tous ses pétales dans la lumière, offre au soleil ses sucres, ses couleurs et ses parfums mais toute rose, toute pivoine ou tout lys orange qu'elle soit, elle ne peut aller plus loin. Elle a atteint à ses limites de splendeur, elle ne sera jamais plus belle qu'en cet instant, et ce sont les limites mêmes de sa beauté qui sonnent le début de sa déchéance. Ce n'est pas desséchée qu'elle est près de la mort mais au plus large de son offrande au jour.

Et la loi, pour l'amour, est la même que pour la fleur. Lorsque deux amoureux s'unissent pour la première fois, leurs yeux sont exorbités comme au spectacle de quelque chose de trop beau pour l'oeil humain, leurs mains et tout leur corps tremblent au comble de la tension exigée des amants pour qu'ils puissent se hisser un instant au-dessus du temps et de la médiocrité du quotidien, leurs joues sont des fleurs rouges énormes et leur coeur ouvre au maximum les pétales du bonheur. Et s'il est vrai qu'ils sont des dieux pendant cet instant-là car ils n'appartiennent plus à la race vulgaire et grotesque des humains, il n'en est pas moins vrai qu'à l'instar de la fleur au plus plein de son épanouissement, ils viennent d'atteindre là les limites extrêmes de la beauté et de l'émotion. Et puisque jamais ils ne parviendront à aller plus loin qu'en cet instant où ils roucoulent, tant ils sont au-delà des mots, c'est en cet instant précis d'extase que commence la déchéance impitoyable de l'amour. Jamais l'horreur de la mort ne semble plus éloignée qu'en cet instant sublime mais jamais la mort n'est aussi près, c'est là même qu'elle commence et la suite n'est que la lente décomposition d'une fleur qui a atteint, une fois, une seconde, les limites de sa splendeur.

« Hou-hou—hou—hou-hou » chantait la colombe éplorée apprenant au vieil homme que l'extase amoureuse et la mort se confondent en un roucoulement triste.

Mais le vieil homme fut pris à son piège. Il avait tenté de diminuer l'échec de sa vie en jetant un regard plus vaste sur l'immense échec de toute vie avec pour résultat qu'il n'avait fait qu'accroître sa vision déjà tragique de l'amour. Au moins, tant qu'il n'avait cru qu'à sa faillite personnelle, il lui restait la possibilité de rêver à la réus·

196

site des autres mais maintenant même les pétales jusque-
là toujours épanouis de la fleur rouge de son rêve d'amour
heureux avec Anne-Marie venaient de se détacher pour tomber racornis dans le vide.

« Hou-hou—hou—hou-hou » : le petit pigeon mauve,
éploré, chantait au tout début d'un jour pareil à tous les
autres écoulés depuis le plus lointain des temps la tristesse
des roucoulements de l'amour confondue à jamais aux sanglots pleins d'extase du chagrin d'amour. Et la colombe,
ainsi que deux petits pétales déployant au maximum ses
ailes mauves, disparut au fond du ciel, très vite, comme
une caresse inutile.

Dès que le vieil homme se fut levé, toute la laideur de son chalet lui apparut. Les prélarts racornis comme des pétales, les moustiquaires déchirées, l'évier écaillé, l'eau provenant d'un puits et empestant le souffre chaque fois qu'il ouvrait la chantepleure, les plafonds tachés par des infiltrations de pluie, et sur la table boîteuse, pour comble, des centaines de fourmis grouillaient parmi les victuailles qu'il avait négligé de ranger dans le réfrigérateur. Il frappa dans le tas à grands coups de balai puis, écoeuré, il sortit dans la lumière.

Il courut se jeter dans la mer et lorsqu'il en revint tout ruisselant dans le soleil, ses yeux, nettoyés par l'eau verte et le sel, ne reconnurent plus le monde.

Pluviers, bécasseaux, goélands et mouettes rieuses, envolés sur son passage, tournoyaient dans l'air comme des volées d'écume. Le sable à l'infini était éblouissant de blancheur comme la terre elle-même, sans doute, l'avait été lorsque le premier homme, couvert des gouttelettes de la joie, était ainsi sorti des eaux originelles. Et celui qui se croyait le premier être de la création se mit à courir, les dents brillantes de plaisir, parmi les vols d'écume des mouettes rieuses.

Il léchait avec volupté l'eau salée sur ses lèvres et faillit renverser une vieille dame au chapeau de paille qui jetait des miettes de pain aux oiseaux. Il heurta un premier vieillard occupé à ramasser des conques puis un second qu'une infirmière assoyait avec beaucoup de soins dans une chaise longue. Il s'arrêta, se frotta les yeux et constata qu'il n'était pas seul sur cette plage de début du monde.

Ici et là, de vieilles femmes dont les robes fleuries cachaient mal les difformités grattaient le sable avec leurs cannes pour trouver des coquillages qu'elles entassaient dans des petits sacs de polythène. Et toutes lui souriaient de leurs bouches édentées. De très vieux hommes, quelques-uns bedonnants, d'autres très maigres à la peau grise chiffonnée, momifiée autour des os, fouillaient également les sables en quête d'hippocampes, d'étoiles de mer, d'éclats de buccins, d'oursins brisés, de coraux et, lorsqu'ils trouvaient un fragment aux jolies formes, ils se faisaient des signes tremblottants et se le montraient en souriant. Tous les motels dispendieux, à cette période de l'année, s'emplissaient de personnes âgées, venues chauffer encore un peu aux rayons du soleil, comme ces goélands malades qu'on voit chanceler parfois sur les grèves, leurs dépouilles trottinantes, vacillantes, avant d'aller pourrir bientôt au royaume des ombres, si bien que cette plage de début du monde était hantée de malheureux venus faire des châteaux de sable en tentant de se déguiser en enfants afin de mieux tromper le temps.

Une immense pitié s'empara du vieil homme à la vue de toute cette peau ratatinée et il jeta un regard de supplication au soleil comme s'il eût suffi de quelques bons rayons pour rendre à ces cadavres souriants une jeunesse qu'ils s'évertuaient d'imiter avant de basculer dans la fosse.

« Dans dix ans au plus tard, pensa-t-il, tous ces gens-là seront morts ! » et le soleil soudain lui parut s'être transformé en une peau jaunasse, ratatinée, suspendue dans le ciel, et les vagues de la mer roulèrent contre ses pieds des tas de coquillages blancs, percés de trous, qui étaient de tous petits fragments d'os broyés, les fragments d'os broyés de tous les humains depuis le début des temps. Et tous les vieux furent soudain des morts errant, longtemps après la fin du monde, dans quelque au-delà terrifiant où ils cherchaient à retrouver les ossements des personnes qu'ils avaient aimées de leur vivant ; et lorsqu'ils retraçaient parmi les pièces désassemblées de cet immense puzzle quelques parcelles leur donnant l'espoir de reconstituer un être aimé, ils souraient et déposaient précautionneusement les osselets dans des sacs de polythène qu'ils portaient à la main.

Le vieil homme, brusquement, se vit lui-même, dans quelques milliards d'années, errant sur cette plage atroce et cherchant avec désespoir à retrouver les délicats fragments du squelette d'Anne-Marie afin de recomposer par le menu l'amour immense de sa vie.

Alors il lui revint en mémoire qu'il était lui-même un homme de soixante et neuf ans, plus jeune certes de neuf ou dix ans que les vieillards qu'il venait d'apercevoir, mais un homme en sursis, en sursis seulement et pour bien peu de temps. Il refusa la mort avec des cris épouvantables et, terrifié, il se remit à courir parmi l'écume claire et les coquillages d'ossements. Puis il se mit à rire avec les mouettes rieuses, à rire, à rire follement, puis il nia les vieux, ne les vit plus, en nettoya la plage d'un grand coup, et puis il se nia lui-même secouant la poussière accumulée en lui par l'âge et la jetant dans l'air où elle tourbillonna comme des volées de pluviers blancs.

Revenu dans son chalet, il passa partout l'aspirateur pourchassant araignées et fourmis et coquerelles. Il saupoudra dans toutes les armoires, les coins, sous les prélarts, dans les placards, partout dans les fentes du bois du chlordane, poison dont il avait emprunté une boîte à sa propriétaire.

Mais c'était bien davantage la maison délabrée de son corps qu'il saupoudrait de poison blanc afin d'en extirper toute la vermine du temps. Il en mit tant d'ailleurs qu'il fut bientôt immaculé comme le sable de l'île, et que tous les oiseaux de mer vinrent en fête saluer en lui la naissance d'un monde neuf chanté par les centaines de becs orange des mouettes rieuses.

Le lendemain, à l'instant même où, dans un hôpital des Trois-Rivières, on ramenait depuis la salle d'opération jusqu'à sa chambre le corps du vieil homme engourdi pour de très nombreuses heures, ce-dernier, sur l'île d'Anna Maria, en Floride, se levait en même temps que le soleil et jetait sur le monde le regard émerveillé d'un nouveau-né.

La première plante qu'il aperçut en sortant portait cachées parmi ses feuilles violettes de petites cosses en forme de canots qui, lorsqu'on en rapprochaient les extrémités, révélaient chacune une grappe de minuscules fleurs blanches affectant vaguement la forme d'un bébé. A cette plante avait été donné pour cette raison le nom de Mose's bulrush ou « berceau de joncs de Moïse » et le vieil homme, en ce matin de début du monde, eut l'impression qu'après avoir flotté pendant trente-neuf années sur les eaux noires de l'égarement, et à l'instar du célèbre enfant trouvé par les belles princesses du Nil, il était lui-même une sorte d'enfant fraîchement trouvé sur les bords de l'île d'Anna Maria par une grande dame merveilleuse qui s'appelait la vie et qui lui tenait la main pour lui apprendre à marcher.

Car le vieil homme, armé des livres qu'il s'était procurés deux jours plus tôt, devait ici tout réapprendre, comme un enfant, comme Adam au Jardin d'Eden lisant dans l'Encyclopédie énorme et illustrée de Yaweh le nom des fleurs, des animaux, des poissons, des oiseaux. Rien de ce qu'il apercevait sur cette île ne portait un nom connu de lui. Des palmiers, à la rigueur, et des pélicans, il en avait vu souvent sur des illustrations mais il y avait tant de variétés de palmiers depuis ceux à qui le tronc gonflé confère l'allure d'un ananas jusqu'aux cocotiers qui poussent penchés et dont la cime ploie sous le nombre de ces fameux cocos au jus sucré que son père lui achetait une fois par année, à Noël, lorsqu'il était petit, et qu'il appelait des «cocos de singe», puis il y avait les palmiers-dattiers, les palmiers-voyageurs ouverts comme des queues de dindons, les palmiers-bambous debout sur des troncs semblables à ceux de la canne à sucre et surtout les palmiers royaux parfois hauts de plus de quatre-vingt pieds et dont le tronc lisse et blanc avait toute la noblesse d'une colonne de marbre. Et tous ces palmiers-là croissaient aux environs de son petit chalet et le vieil homme allait de l'un à l'autre afin de les identifier, de faire connaissance, de nouer des liens d'amitié.

Mais ce qui l'amusa le plus, en ce matin de renaissance au monde, fut une grosse fève dure comme du bois, longue d'un bon pied et demi, et toute remplie de graines qui rendaient un bruit de crécelle lorsqu'il l'agitait. Cette fève était le fruit du poinciana, l'un des plus beaux arbres des tropiques, flamboyant de fleurs pendant la saison d'été mais ne portant à cette période de l'année que ces fèves suspendues comme d'espèces de saucisses énormes à ses branches dénudées. Le vieil homme, enchanté de constater qu'un poinciana poussait juste devant sa galerie, ramassa l'une des longues fèves qu'il ne cessa de secouer pendant tout le jour, pour son plus grand plaisir, comme un enfant secoue près de son oreille un gros hochet.

Des lézards verts fuyaient partout parmi les feuilles écarlates des poinsettias, plantes vendues au Canada pendant la période de Noël mais qui poussaient ici à profusion. Il y en avait même des roses et des blancs.

Le chalet disparaissait presque en entier sous une masse de végétation étrange appelée vigne de mer, laquelle donnant en saison des grappes de raisins délicieux s'élevait actuellement plus haut que la toiture et portait des feuilles plus larges que trois mains, jaunies et toutes parcourues de nervures rouge sang. Des mockingbirds au chant délirant se pourchassaient parmi ces feuilles qui de temps à autres se détachaient et dont l'homme se fit un gros bouquet y ajoutant l'une des grandes fleurs jaunes appelées alamandas qui poussaient leurs têtes parmi la masse touffue de la vigne de mer.

L'impasse Mourning Dove Road ne donnait pas sur la plage. Pour s'y rendre, le vieil homme qui était presque maintenant le nouvel homme devait suivre la petite rue Hibiscus, laquelle était effectivement bordée de bosquets d'hibiscus, et cette fleur si belle, la plus caractéristique des pays chauds, la plus sensuelle dans toute sa pourpreur au long pistil, retint longuement son attention. Il y avait aussi des hibiscus roses, jaunes, des hibiscus doubles et d'autres, appelés hibiscus dormants, aux pétales refermés en clochettes qui ne laissaient dépasser que le bout du pistil.

Aux façades des maisons grimpaient des massifs de bougainvilliers aux fleurs magenta et des hibiscus-fuchsias aux pétales ébouriffés qui s'accrochaient à des lianes laissant pendre devant les fenêtres leurs pistils chargés de pollen sur lesquels des papillons verts faisaient de l'escarpolette.

Les arbres de lauriers-roses, ici, avaient la hauteur des maisons, et le presque nouvel homme, papillon étrange, approchant son nez de leurs fleurs roses et blanches, constata que le parfum dont il commençait de s'enivrer ne provenait point des lauriers mais d'arbres surchargés de fruits et de fleurs dissimulés derrière eux. Les fleurs de citronniers surtout répandaient un véritable alcool de parfum et c'est en titubant que le gros enfant à hochet de poinciana découvrit les orangers, les pamplemoussiers, des touffes basses au sommet desquelles trônaient des ananas, les arbres de kumquats et les papayers dont les fruits sont des sortes de melons sucrés.

Et tout le jour, guidé par la grande dame de la vie dont la robe de lumière imprimée de fleurs flottait dans l'air comme une odeur, le nouveau-né au visage épanoui de plaisir, agitant constamment à son oreille son hochet aux graines cliquetantes, fit ses premiers pas dans un monde enchanté où malgré les efforts de sa mémoire il ne parvenait guère à réapprendre d'un seul coup tout l'univers.

Identique sur ce point à tout Canadien français digne de ce nom, il maniait fort mal l'anglais, langue qu'il avait refusé d'apprendre, mais ici personne ne lui parlait, tout le monde lui souriait, et la vraie langue à apprendre était celle des choses nouvelles, et cette langue, le nouveau-né la baptisa langue « citron ». Il devait apprendre le « citron », c'est-à-dire toutes les couleurs, les fruits, les odeurs, toute la vie au fond car il n'avait jamais vraiment vécu sauf en son enfance et en son adolescence et encore ce n'était là que demi-vie car c'était là la vie d'avant l'amour. Mais la vraie vie, celle de l'amour, il ne l'avait jamais vécue. Et la langue « citron » était la langue de cette vie-là, totale, luxuriante de sensualité.

Le nouveau-né qui devenait peu à peu le nouvel homme allait d'étonnement en étonnement. Il se heurta au détour d'un oranger à un régime de petites bananes vertes poussant la queue vers le haut, régime terminé par une fleur violacée énorme comme un coeur de boeuf.

Il avait vu déjà de ces plantes d'intérieur que les gens de chez-lui entretenaient vivantes dans des pots et qu'ils appelaient des « caoutchoucs » à cause de la texture de leurs feuilles, mais ces plantes ici dépassaient la toiture des maisons. Des cactus de quinze pieds de hauteur portaient des fleurs rouges ou jaunes et d'espèces de grosses figues. D'autres cactus étaient des agaves au tronc long et mince dressant dans le ciel de courtes branches terminées par des espèces de mains. Des touffes d'azalées roses croissaient à l'ombre de pins d'Australie immenses aux très fines aiguilles et aux tout petits fruits. Une autre variété de conifère, appelée pin de Norfolk, toute noire, toute rigide, ressemblait à s'y méprendre aux sapins synthétiques par lesquels beaucoup de Canadiens remplacent maintenant, en période de Noël, le traditionnel sapin des bois. Et de temps à autres, parmi ce foisonnement, quelque arbre d'orchidées lançait vers le ciel toute sa délicate splendeur nuptiale comme une mariée lance son bouquet après la réception, le jour des noces.

Amaryllis, roses d'Honolulu, arbrisseaux aux longues fleurs poilues comme des chenilles de deux pieds, arbres-pieuvres aux bras tentaculaires chargés de fleurs rouges disposées en ventouses, arbres à poudrettes roses, arbres-brosses-à-bouteilles, arbres-trompettes-d'anges aux larges fleurs blanches en forme de cloches de plus de deux pieds, arbres à poivre remplis de grains rouges, à chaque pas, le nouveau-né, balbutiant les mots de la langue « citron », pénétrait dans un monde fabuleux. Rien ici ne ressemblait à ce qu'il avait connu jusque-là, il y avait donc plusieurs sortes de mondes ? Il y avait donc plusieurs sortes de vies ? Et lui, si malheureux au cours de sa première existence, ne se contenait plus de joie à l'idée de renaître dans cet univers-là. Il eut soudain devant lui le banian, arbre gigantesque dont les branches laissent pendre de nouvelles racines qui vont s'enfoncer dans le sol, puis un tulipier dressant ses grosses fleurs pourpres jusqu'au soleil acheva de le transporter dans les régions enchantées des féeries que lui racontait jadis son père. Le banian était un bon géant aux mille bras protégeant l'enfant contre les arbres-pieuvres ; les fleurs-chenilles s'enroulaient poilues entre ses mains comme des chats rouges, les trompettes-d'anges sonnaient le triomphe de sa résurrection, et lorsque la grande dame de la vie à la si belle robe de lumière imprimée d'hibiscus vint lui offrir la fleur appelée oiseau du paradis, cette fleur dont les pétales dressés forment une huppe orange et à laquelle la cosse violette tient lieu de bec, le nouveau-né, fou de bonheur, s'assit près de la plage, agitant avec force son hochet de poinciana et il connut qu'après avoir traversé les mystérieuses allées du Jardin des Légendes il avait finalement trouvé, ici, au pied d'un arbre dressant des tulipes jusqu'au soleil, l'oiseau du paradis de l'amour qu'une fée de lumière venait de déposer contre son coeur.

Nul homme n'avait vécu plus seul que lui assis dans sa berçante en merisier laminé. Et malgré la présence à ses côtés du délicat fantôme d'Anne-Marie berçant leur petite fille dans sa grande chaise en chêne, c'est dans la plus absolue solitude qu'il était demeuré pendant trente-neuf années à fumer des pipes de tabac fort et à se bercer, tout seul, assis dans sa maison noire et blanche comme sur une petite planète, une toute petite boule noire et blanche perdue dans l'immensité du vide.

Mais comment avait-il pu se croire seul ? comment avait-il pu croire le monde vide alors que toute la vie juteuse, exubérante était là si près de lui ? comment la perte d'Anne-Marie avait-elle pu tuer autour de lui toute la beauté du monde ? La personne aimée, certes, est à elle seule un univers mais voici qu'il découvrait que l'univers, à son tour, pouvait être une personne aimée. Découvrir n'est pas exact, redécouvrir serait plus juste car le nouvel homme en lui n'était pas vraiment nouveau, c'était même en fait la plus ancienne et la plus authentique partie de son être qui refaisait surface. Rien en effet n'était moins nouveau pour lui que de frémir d'exaltation au contact de la nature ; son enfance et son adolescence n'avaient rien été d'autres qu'un perpétuel frémissement d'amour devant le monde, car cet homme était né pour adorer la vie et c'est à cause d'une femme qu'il avait tout perdu.

« Tout est vivant ! » s'écriait-il en lui-même et si, au cours de sa jeunesse, il avait senti avec intensité cette grande vérité, il faut reconnaître que maintenant, sur l'île d'Anna Maria, il la comprenait davantage. « Nul être n'est seul, exultait l'homme nouveau. Tout pousse, respire, subit le temps. Tout est pétri dans quelque cocon ou dans quelque matrice, tout voit le jour pour la première fois, tout tremble d'émotion devant la beauté terrifiante du vaste univers ».

Et il se rappelait les libellules dont il se plaisait, enfant, à admirer l'apparition. Il recueillait au bord de la Grande-Rivière les larves qui ressemblent à de petits dragons absorbant l'eau par la bouche et se propulsant en la rejetant par une sorte d'anus. Les larves, une fois sur le sable, séchaient en moins d'une demi-heure, s'ouvraient puis laissaient sortir au prix d'efforts très pénibles un être neuf : l'insecte, d'abord gélatineux, doublait en quelques minutes ses dimensions puis déployait des ailes toutes recroquevillées et collées. Et c'est alors que commençait le grand tremblement : tout l'insecte, ailes ouvertes, contemplait l'univers avec les milliers de facettes de ses yeux, s'étonnait de la splendeur de la lumière, adorait à sa façon le soleil et s'affolait de désir et de crainte à l'idée de prendre son envol dans cet air sans fin. Tel avait été le peintre en sa jeunesse. A l'orée de la Grande-Rivière où il se rendait en canot, à l'orée de la clairière du bois Saint-Michel où il se rendait en bicyclette, chaque fois il avait tremblé comme un amant au bord du lit de sa maîtresse, au bord du lit d'une maîtresse aux délices toujours renouvelées.

Mais ce frisson de terreur et d'avidité, chaque insecte, chaque plante, chaque animal l'éprouvait aussi. Un bourgeon de mai avait le même nez rose qu'un bébé emmailloté. Un oiseau tombé du nid, piaillant, la peau violette, avait la même laideur sublime qu'un enfant fraîchement sorti du ventre de sa mère et dont quelques cheveux à peine collent au crâne mouillé. Et tout s'accouple, se féconde. Certaines fleurs ne vivent qu'un seul jour et ce sont celles qui, telles des adolescentes pressées d'être possédées, déploient les plus séduisants artifices, leurs corolles fardées de couleurs si sexuellement excitantes que l'homme lui-même se dirige d'abord vers elles avant d'admirer leurs compagnes. Et il ne faisait pas de doute pour le nouvel homme que, si les organes de reproduction n'eussent été si différents entrent les végétaux et les humains, plusieurs jeunes gens n'auraient pas pu résister à chevaucher des fleurs. Certains en tout cas, c'était connu, s'adonnaient à la copulation avec les animaux. La vie était la même pour tous, à tous les stades de l'évolution. La joie du chien qui retrouve son maître, les plantes qui ne fleurissent qu'arrosées par une main aimée, en quoi différaient-elles de ces fiancés extasiés à l'idée de se revoir après une brève absence ? Et la fourmi que l'on transporte à cent pieds de son trou n'éprouve pas une terreur moins considérable devant le mystère que l'homme devant l'inconnu. Et le goéland malade qui va mourir, qui tourne vers le flâneur des plages des yeux vitreux, exorbités par la peur, en quoi diffère-t-il de ces vieillards aux regards mouillés de fièvre que le temps emporte dans l'horreur du néant ? Et la chatte qui veut dormir dans le même lit que son maître, qui lui fait bouderies et cajoleries, en quoi diffère-t-elle de sa femme ou de sa maîtresse ? Mêmes terreurs, mêmes besoins de caresses, même étonnement à découvrir le monde, même joie au soleil.

Le nouvel homme, chaque jour, s'émerveillait au spectacle des dauphins s'ébrouant gaiement à quelques cents pieds de la plage. On voyait des queues sortir de l'eau, on les voyait plonger, bondir, se rouler les uns sur les autres, s'amuser comme les mouettes rieuses, comme les canards, comme les cormorans fouillant les fonds marins, comme les pélicans se laissant choir du haut du ciel sur des poissons luisants, comme les petits oiseaux qui chantaient de joie en se baignant avec prudence dans les flaques d'eau de mer. Et le nouvel homme n'éprouvait pas de plaisir différent du leur en se laissant flotter à la surface des vagues, en s'ébattant parmi l'écume car, toujours bon nageur malgré son âge, il s'était remis au plongeon, à la brasse, au crawl de sa jeunesse et chaque fois qu'il ressortait brillant de sel des houles de la mer, il lui semblait s'être lavé de quelque crasse laissée par les années et la douleur, il sentait ses vieux muscles se raffermir et pour peu il se serait cru sur la chaîne de roches, à Nicolet, à vingt ans, bombant le torse en regardant de face le soleil comme un jeune coq de village qui s'apprête à lutter sans vraie malice contre un rival.

Comment avait-il pu se croire seul alors que les nervures des feuilles de vignes de mer étaient identiques aux veines qui parcouraient ses mains ? alors que les pétales de fleurs avaient la délicatesse d'une chair de femme ? alors qu'en chaque bananier, en chaque citronnier la vie battait son pouls et faisait circuler des sèves comme son cœur en lui poussait son sang dans ses artères ? En

212

tous les êtres, végétaux, animaux, même activité fébrile pour tenir à distance les prédateurs de la mort.

Comment avait-il pu oublier pendant tant d'années cette fraternité immense des êtres ? Et fraternité était un mot bien insuffisant ; tous, hommes, bêtes, plantes et minéraux ne constituaient qu'un seul être vivant aux formes multiples. Certaines espèces même n'avaient pas réussi à se différencier vraiment telles l'étoile de mer ou l'anémone ou quelques fleurs si légères qu'elles semblaient prêtes à s'envoler comme des papillons. Et l'homme lui-même, dans toute l'orgueilleuse solitude de sa prétendue intelligence, ne pouvait s'empêcher en jardinant d'aspirer par moments à redevenir laitue ou rose, ne pouvait empêcher en regardant les oiseaux la montée en lui d'une insupportable nostalgie d'envol, ne pouvait s'empêcher, nageant sous l'eau, de désirer voir s'ouvrir sous ses oreilles des branchies afin de demeurer au royaume de l'onde, ne pouvait s'empêcher, devant un âtre, d'être attiré par les flammes au point d'y vouloir pénétrer et d'y danser parmi les bûches. Combien de fois, en son adolescence, n'avait-il pas dormi dans les bois sur les mousses, parmi les fougères et les touffes de cèdres et combien de fois n'avait-il pas souhaité continuer de vivre là, à quatre pattes avec les lièvres, les renards et les perdrix !

Tout était un seul être et par quelle aberration avait-il pu oublier cette formidable dimension de sa personne pour se tenir tapi, tout seul, dans sa chaise en merisier laminé au fond d'une maison noire et blanche pendant trente-neuf années ? Puis il se rappela soudain ses visites sur la tombe du père Papillon et son respect épouvanté pour l'herbe qui foisonnait sur l'emplacement de la fosse. Cette herbe-là, c'était le père Papillon lui-même transformé, et le goudronneur d'alors n'avait pu y poser le pied. Cette herbe était les cheveux, les yeux, les mains, la bonté, la douceur, les rêves, la musique du père Papillon devenus végétaux. Et depuis tant de temps qu'on enfouissait des cadavres sous le sol, il était évident que la terre était toute constituée de morts, que nous mangions des légumes faits de morts, que nous cueillions des fleurs faites de morts, que nous habitions des maisons fabriquées avec des arbres faits de morts. Pas un oiseau, pas un insecte, pas un chat, pas une plante qui ne soient fabriqués avec la chair et l'esprit et le coeur et les rêves d'hommes et de femmes broyés et remodelés par les mains pétrisseuses du temps. Et nous-mêmes par conséquent étions remplis de papillons, de vers, de fruits, de pélicans, d'outardes, d'hibiscus, de fraises, de bananes, de chats, de roses et de limaces. « Ah ! exultait l'homme nouveau, comme cette vaste union dépasse l'étreinte égoïste de l'homme et de la femme ! Et pourquoi m'être laissé éloigner de cet amour immense à cause d'une seule petite jeune fille rousse qui a ruiné ma vie ? »

Au cours des semaines qui suivirent son arrivée sur l'île d'Anna Maria, le plus grand étonnement de l'homme fut le retour constant du soleil. Ici, — quelle détente ! — chaque matin, revenait le soleil au point que l'on finissait par cesser de craindre qu'il ne disparaisse à jamais, au point qu'on se rendait sur la pointe de l'île parmi les dunes couvertes de blés de mer voir coucher l'astre pourpre en éprouvant non pas un abandon atroce mais une véritable extase devant le spectacle d'une beauté de toute évidence inaltérable parce que toujours recommencée.

Le nouvel homme, chaque jour, passait une heure à se baigner, à parcourir les plages, à admirer les coquillages aux couleurs merveilleuses. Il avait, une fois pour toutes, nié les pauvres vieilles personnes qui attendaient ici la mort et il ne les vit plus jamais. Il lui arriva même d'apercevoir des jeunes gens dont les parents sans doute habitaient l'île ou qui venaient de la ville peu éloignée de Bradenton faire de l'aquaplane sur les hautes vagues.

Et comme le chalet du nouvel homme se trouvait à quelques pas du Rod and Reel Fishing Pier, il y alla tenter sa chance, apprit à trouver par lui-même des appâts : puces de mer cachées sous le sable à l'endroit où se brisent les houles, vers de mer camouflés dans de petits tubes siliceux de la grosseur d'un jonc et qu'il fallait aller chercher à marée basse dans le Big Bayou, espèce de lac intérieur formé par un empiètement de la mer sur les terres basses de l'île. Il passait des heures assis sur le Rod and Reel Fishing Pier, long quai de bois terminé par une cabane où l'on vendait des hameçons et des boissons gazeuses. Il attrapa des pompanos aux écailles d'arc-en-ciel et de gros poissons zébrés de noir, au front bas, appelés sheepheads, difficiles à capturer car ils suçaient les amorces au lieu de mordre ayant l'habitude de se nourrir de balanes, petits crustacés collés aux piliers de béton et qu'il leur fallait aspirer hors de leurs coquilles.

Et si le nouvel homme prenait tant de plaisir à la pêche c'était tout à la fois pour satisfaire son goût de poisson frais et pour retrouver quelques-uns des plus jolis souvenirs de son enfance. Son père, qui était pêcheur, l'avait initié très jeune au maniement des lignes et des filets. L'enfant remontait la rivière Nicolet en canot jusqu'à cet endroit où elle se divise en deux, l'une des moitiés se dirigeant vers des terres basses, l'autre vers une région montueuse appelée Monteux. C'est cette direction que prenait l'enfant, franchissant à pieds de petits rapides, attrapant des écrevisses noires parmi les roches et passant tout le jour à pêcher des perchaudes, des crapets-soleils, des dorés et des achigans. Ah! comme lui semblait merveilleuse toute cette vie d'avant Anne-Marie! Comme la vie avait été belle malgré ses anxiétés d'enfant chaque soir abandonné par le soleil! Mais pourquoi, pourquoi toute cette beauté était-elle disparue, était-elle morte pour lui après la perte d'Anne-Marie?

Un soir, enfin, assis parmi les dunes du bout de l'île d'Anna Maria, alors qu'il admirait les milliers de mouettes, d'hirondelles de mer, de pélicans et de bandes de dauphins s'ébattant dans les lueurs orangées du couchant, un soir, la lumière se fit dans l'esprit du nouvel homme. Et cette lumière, il la dut à un soudain besoin irrépressible d'embrasser le monde, d'étreindre l'univers. Il regarda ses bras qui lui semblèrent allongés par l'immensité de son désir mais quelle épouvantable impuissance pour ce microbe, cette puce des sables qu'est l'homme, quelle épouvantable impuissance à s'emparer avec ses mains dérisoires de la vastitude du monde, quelle impuissance à la saisir pour la serrer contre son petit coeur de chair! Et c'est cette impuissance douloureuse qui lui fit comprendre le rôle sublime de la femme.

Tout le monde sait que, pour une femme jeune, toute fleur, tout papillon, toute beauté autre que la sienne est une sorte de rivale, aussi faut-il que l'homme, à l'âge de l'amour, choisisse entre la nature et la femme. Les amants prudents ou expérimentés font mine de rejeter la nature mais ils la conservent comme une maîtresse secrète toujours prête à les recevoir sur son sein en cas de coups durs. Mais les amants naïfs comme l'avait été le jeune peintre — et ces amants naïfs sont les seuls vrais amants — ceux-là ne songent pas à se ménager un refuge ; ils n'abandonnent pas la nature, bien au contraire, ils l'aiment désormais à travers une femme élue, et la nature et la femme s'en trouvent réciproquement magnifiées. Et c'est pourquoi un tel amour est si grand car c'est le monde entier que l'homme étreint en caressant le corps de la bien-aimée et c'est la seule façon que possède l'homme d'étreindre la beauté du monde. Mais c'est pourquoi aussi, lorsqu'il avait perdu Anne-Marie, le jeune peintre avait perdu tout l'univers en même temps. Après la perte de la jeune fille, le fabuleux jardin du monde s'était transformé en un cimetière. Toute feuille, toute fleur, tout oiseau s'effritaient en cendre entre ses doigts. Toute tige était vide de sève, toute corolle dépouillée de couleurs, tout oiseau séché de l'intérieur.

Et le nouvel homme, toujours assis parmi les dunes, se demanda si, en ce moment où la beauté du monde lui était redonnée, — la beauté d'un monde différent de celui de jadis, une beauté qu'il ne pouvait avoir associée avec Anne-Marie — il se demanda si, d'une certaine façon, il n'était pas en train d'être infidèle au souvenir de cette femme tant aimée.

Avec l'amour du monde en tout cas renaissait en lui le besoin irrépressible d'étreindre un corps de femme, et jusque-là aucun autre corps que celui d'Anne-Marie n'avait exercé sur lui d'attirance.

Un désir fou soudain s'empara de ses sens, un désir fou comme celui qu'il avait éprouvé entre vingt-cinq et trente ans. Car il avait si fortement désiré alors le corps d'Anne-Marie qu'il s'était saoulé jusqu'à l'abrutissement pour ne plus rien sentir, pour détruire en lui le besoin de cette chair adorée.

Mais voici qu'en ce soir remontait avec une violence extrême la même frénésie de tous les sens : toucher, sentir les parfums d'aisselles et de sexe, écouter battre le coeur, voir les joues pourpres et les yeux se dilater, goûter avec la langue toutes les saveurs de la nuque, des seins, du ventre, des cuisses et les saveurs plus secrètes encore du corps de l'aimée.

Mais le nouvel homme était seul parmi les dunes, ses bras tendus, dérisoires, vers le soleil couchant comme vers la tête rousse d'Anne-Marie, comme s'il eût été en son nouveau pouvoir de la faire surgir du passé, comme s'il se fût attendu à la voir apparaître toute ruisselante de sel hors de la mer et hors des houles noires du temps. Une colombe éplorée, alors, cachée parmi les blés de mer, poussa son bouleversant « Hou-hou—hou—hou-hou » et c'est le soleil même qui lui sembla avoir poussé ce chant d'extase et de désolation avant de disparaître sous les flots tel une énorme et mauve colombe éplorée.

Les jours suivants, le nouvel homme essaya d'oublier cette hantise d'un corps en se mêlant avec un plaisir décuplé à la beauté du monde. Après quelques coups de soleils, sa peau chaque jour plongée dans les eaux vertes de la mer et tannée par les embruns se mit à bronzer. Il passait des heures à marcher parmi l'écume, à s'allonger sur les sables, et ce sont des énergies inespérées qu'il retrouva en même temps que ce hâle qui lui rappelait sa poitrine dure, ses bras et ses jambes de l'époque où, au plus chaud des juillets, il peinturait perché au bord des toits.

Il s'était procuré dès le début un maillot de bain rouge ; il y alla de quelques dollars de plus et s'acheta une casquette orange, des sandales de cuir, une chemise jaune imprimée d'hibiscus pourpres et un pantalon Bermuda vert décoré de citrons. Il enfourcha une vieille bicyclette jaune prêtée par un voisin et partit à la découverte de son paradis.

Le mer partout s'infiltrait si bien dans cette île qu'elle était toute percée de petits lacs, parcourue de canaux, et que presque chaque rue donnait d'une façon ou d'une autre sur le Golfe du Mexique, sur la Baie de Tampa, sur la Baie de Sarasota ou sur quelque vert cours d'eau. Et le nouvel homme à qui cette balade rappelait les randonnées de sa jeunesse s'exaltait à chaque détour découvrant ici un nouveau palmier, là des poinsettias aux couleurs inattendues, là des fleurs inconnues ; des aigrettes et des cormorans volaient d'un canal à l'autre, et le soleil, semblable à l'une des roues énormes de quelque bécane céleste montée par un ami géant, accompagnait l'homme dans sa tournée.

Les noms de rues surtout le ravissaient et, à mesure qu'il les parcourait, une sorte d'ivresse s'emparait de lui : Gladiolus, Alamanda, Poinsettia, Cypress, Iris, Rose, Hibiscus, Pelican, Coconut, Tern, Gull, Neptune, Kumquat, Tarpon, SeaGrape, Starfish, Sea horse, Banana, Sycamore, Palmetto, Peppertree, Shell, Bay breeze, Magnolia, Periwinkle, Poinciana, Orchid, Egret, Coquina, Carissa (petite fleur blanche), Cormoran, Sandpiper, Pompano, Conch, Shrimp, Laurel, Jasmine, Bougainvillea, Flounder, Grapefruit, Peacock, Butterfly, Parakeet, Papaya, Bird of Paradise, et à circuler par tant de rues-jardins aux si beaux noms juteux et colorés, le nouvel homme eut l'impression qu'il était devenu un gros insecte au corps couvert de pollens, gavé de sucres et de pulpes et chancelant d'ébriété dans un plateau de fleurs et de fruits. Et la certitude se fit de plus en plus en lui que la vie elle-même était un plateau de fleurs et de fruits où l'on n'avait qu'à se gaver, où il fallait se maintenir constamment ivre. La beauté elle-même et l'amour étaient aussi de grands paniers de fleurs et de fruits et seul un fou pouvait tout refuser sous le prétexte que l'une de ces fleurs ou que l'un de ces fruits valait à lui seul plus que tous les autres. Il fallait s'empiffrer, s'enivrer et l'homme regretta soudain de n'avoir pas connu, goûté, possédé autant de belles femmes qu'il y avait ici de belles fleurs et de beaux fruits. Et si quelque part existait un Dieu créateur de tant de splendeurs, avec quel courroux terrible, avec quel olympien mépris ne désignerait-Il pas du doigt, au jour du Jugement, le misérable qui aurait fermé ses sens et n'aurait pas pris place au banquet orgiaque de la vie préparé exprès pour lui avec tant d'ostensible générosité par le Grand Amphytrion !

Des paons en liberté sur l'île traversaient parfois l'une des rues obligeant l'homme à faire halte. Il repassa près du Rod and Reel Fishing Pier où des enfants donnaient des poissons à des hérons, des pélicans et des mouettes posés sur le quai parmi eux. « *Anna Maria is for the birds* » rappelaient les décalques collés sur les plaques d'immatriculation des autos, mais si Anne-Marie, pendant tant d'années, avait été une île lointaine à laquelle n'avaient eu accès que les oiseaux respectueux du songe, elle semblait maintenant la proie de toute la faune gazouillante, pépiante, becquetante, picorante, chippante, sifflante et grappillante des petits oiseaux du désir et de l'avidité.

Des geais bleus tapageurs pourchassaient des bandes de moineaux parmi les figuiers de Barbarie, des cardinaux étaient des gouttes de peinture rouge lancées sur le ciel par quelque peintre fou, mockingbirds et mouettes rieuses raillaient, persiflaient sans vergogne lois et usages, des nuées de perruches vertes, bleues, jaunes, suspendues la tête en bas, se chevauchant, se disputant, menaient de cocotiers en tulipiers et de lauriers en arbres d'orchidées le plus farfelu délire. Et lorsque le nouvel homme revint à son chalet de Mourning Dove Road, il demeura un instant figé d'admiration devant quelques centaines de rouges-gorges qui venaient de s'abattre parmi le feuillage des vignes de mer. Il n'avait pas vu de rouges-gorges depuis le printemps dernier et s'étonna de les retrouver ici en volée chapardeuse menant bacchanale car, s'empiffrant des grains pourpres de l'arbre à poivre, les rouges-gorges devenaient complètement ivres, se frappaient partout, roulaient sur le sol, tandis que les femelles basculantes levaient haut les plumes de leur queue pour mieux se faire saillir par les mâles enflammés.

Le nouvel homme, étourdi déjà par les sucres et les jus de sa promenade dans le grand panier de fruits de la nature et excité par la fête dyonisiaque, courut quérir dans son réfrigérateur une bouteille de vin d'oranges et revint s'asseoir au pied de l'arbre à poivre qui lui parut être l'arbre de la vie chargé des grappes de baies écarlates du plaisir.

Lorsqu'il eut fini sa bouteille, titubant, il fit quelques pas sur la plage, la figure empourprée comme une poitrine de rouge-gorge. Jeunes garçons et jeunes filles plongeaient parmi l'écume, s'embrassaient, roulaient luisants de sel enlacés sur le sable. Les jeunes, ici, ne craignaient pas l'amour. Plusieurs vivaient par couples non-mariés dans de vieux chalets comme le sien. Ils se jetaient dans l'amour comme des papillons au feu au risque d'y brûler peut-être, et puis après ? Il valait mieux périr ainsi parmi les braises de la passion que de mourir absurdement cloîtré dans la maison noire et blanche de la chasteté et du désespoir. Eux, ils flambaient beaux comme des soleils tandis que lui n'avait jamais rien été d'autre qu'une sorte de bûche noircie par un rapide contact avec la flamme, bûche que le tisonnier de la peur ou de la prudence ou du respect avait retirée à l'écart de l'âtre.

Mais quelle fée maligne avait donc fait naître Anne-Marie au pays sévère des pilgrims et des quakers où l'on accusait de sorcellerie des jeunes filles aux cheveux rouges devenues hystériques à force de désirer vivre ? Et quelle fée maligne l'avait fait naître, lui, au village neigeux où les rues, au lieu de porter les noms savoureux de la vie, s'appelaient : rue Curé Brassard, rue Notre-Dame, rue Saint-Joseph, rue Saint-Laurent, rue Saint-Jean-Baptiste, rue Léon XIII, rue Soeur d'Youville, rue Monseigneur Provencher, rue Monseigneur Bruneault, rue Monseigneur Courchesne, rue Monseigneur Plessis, rue du Carmel, rue du Précieux-Sang ? , au long pays neigeux où les chemins de campagne s'appelaient : rang du Grand-Saint-Esprit, rang du Petit-Saint-Esprit ? où les villages, au lieu de porter les noms de fêtes de Cape Coral, Cocoa Beach, Coconut Creek, Floral City, Fruitville, Flamingo, Garden City, Jasmine, Laurel, Palm Beach, Orange City, Pompano Beach, Surfside, Palmetto, Sunrise Village, Tangerine, Sunset Point, Venus, Sycamore, Zephyrhills et Sun City, portaient des noms de sacristie et d'empyrée : Saint-Zénon, Esprit-Saint, Sainte-Praxède, Sacré-Coeur-de-Marie, Fatima, Saint-Agapit, Sainte-Croix, La Providence, Saint-Malachie, Saint-Epihane, Saint-Tharcisius, La Rédemption, Saint-Lin, Saint-Thomas-Didyme, L'Annonciation, Ange-Gardien, Saints-Anges, Sainte-Angélique, L'Assomption, Saints-Martyrs-Canadiens, Saint-Enfant-Jésus, Saint-Cléophas, Notre-Dame-du-Rosaire, La Réssurection, Saint-Liboire, Rivière-Pentecôte, Saint-Nicéphore, Saint-Eleuthère, Sainte-Thérèse-Ouest, Saint-Ephrem-de-Paradis, L'Enfant-Jésus-d'Ely, Saint-Octave-de-l'Avenir, Saint-Paul-du-Buton, Sainte-Sabine-Station, Sainte-Barbe, Notre-Dame-de-Ham, Saint-Pie-de-Guire, Sainte-Rose-du-Dégelé, Sainte-Emilie-de

l'Energie, L'Ascension-de-Patapédia et Saint-Louis du Ha !
Ha ! ? au pays où les enfants, au sortir des écoles, ne savaient
identifier aucune fleur, aucun oiseau, aucun arbre, aucun
insecte mais dont le vocabulaire quotidien était truffé d'hos-
ties, de ciboires, de calices, de saint-chrême, de lunules,
d'amicts, où les enfants n'apprenaient rien de la vie mais
connaissaient les anges par leurs noms !

Petit peuple écrasé de peur moralement et religieusement par le clergé, politiquement et financièrement par ses
conquérants anglais. Tapi dans sa peur, fier même de sa
peur ! Trop préoccupé de survivre pour songer à l'épanouissement. Sorte d'arbre inquiet, les racines à l'air, et se
refusant tout bourgeon et toute fleur et tout feuillage et
tous fruits et tous oiseaux avant d'avoir trouvé un sol où
s'implanter. L'hiver, à force d'y régner en maître pendant
huit mois sur le sol, avait fini par y régner également sur
les coeurs. Et l'immense mort blanche s'étendait autour des
petites maisons tapies comme autant de coeurs effrayés à
l'idée d'ouvrir grandes leurs portes et fenêtres. Et l'on
finissait par préférer la paix d'une vie à demi-morte auprès
des brindilles de l'âtre aux rayons exaltants de feu de
l'été et de la passion. Et qui aime le blanc et la paix ti-
morée aime la pureté du blanc et l'apaisement peureux de
la chair. Or la vie, elle, n'est pas pure. Elle est une motte
de terre grouillante d'asticots et de graines, une carotte qu'on
arrache au jardin dont on enlève les bouts rongés par les
vers et qu'on croque encore salie de glaise, un rosier gigantesque couvert d'épines, de pucerons et de fleurs, un
nid d'oiseau immense tout rempli de crottes et de couleurs,
de plumes, d'ailes et de chants.

Les jeunes d'ici, se répétait le nouvel homme, ivre de vin d'oranges sur la plage, au lieu d'allumer des lampions dans des églises froides pour intercéder en faveur de leurs amours, puisaient à pleines mains dans les fruits de la joie, se servaient eux-mêmes au grand banquet du monde, s'empiffraient des meilleurs morceaux et criaient d'allégresse comme les rouges-gorges en s'étreignant dans la lumière. Et le nouvel homme sentait battre en lui les hautes houles de la révolte au souvenir de ses délicatesses de sentiments, du respect absurde qu'il avait eu pour son amitié avec Auguste, des conventions stérilisantes qui avaient empêché l'éclosion de son bonheur. Au lieu de regarder l'amour comme une sorte de vase liturgique réservé aux seuls doigts consacrés, il aurait dû tout saccager, disputer âprement Anne-Marie à son meilleur ami, la basculer même parmi les marguerites, la posséder avec délire sans s'occuper des mûres sur sa robe verte éclaboussées comme des gouttelettes de sang virginal. Et si, malgré tout cela, elle avait épousé Auguste, il aurait dû continuer, sans le moindre scrupule, à la poursuivre de ses ardeurs après le mariage. Ne respecter aucune loi autre que celle de l'amour et des instincts !

Le nouvel homme, titubant, étira le bras pour saisir le soleil comme une tête de femme et l'entraîner par sa toison de cheveux roux jusque dans son lit. Il pivota, s'abattit sur la plage tel un rouge-gorge ivre, modela deux seins avec le sable et y enfouit sa figure empourprée.

Quelques heures plus tard, lorsqu'il eut partiellement repris ses esprits, le nouvel homme ouvrit les yeux. Il tenait toujours entre ses mains la tête rousse du soleil et sa figure à lui reposait entre les seins de sable. En proie aux vertiges de l'alcool et de la chaleur, il regarda la plage sur laquelle il était couché comme sur une poitrine nue de femme à la peau très blanche et il eut la certitude d'être allongé sur le corps d'Anne-Marie. La mer, telle une robe de satin vert chiffonnée, ne fit qu'accentuer encore cette certitude ; elle recouvrait le ventre, le sexe, les cuisses et les jambes, l'homme n'ayant vraisemblablement déshabillé que le buste de la jeune fille lors de sa folle ivresse. Il regarda la robe de satin vert soulevée comme par les respirations houleuses de la crainte et du désir ; il se voulut viril, brutal même, à la hauteur de sa nouvelle vision du monde où la femme était un fruit parmi tant d'autres à déguster avec délices, il décida d'arracher d'un coup le reste de la robe et de posséder enfin toute cette chair tant désirée de la bien-aimée.

Il frotta ses yeux embués de délire et soudain il aperçut, toute mignonne, debout, posée au bord de l'eau telle un petit oiseau, Anne-Marie qui l'observait. Sur le coup, il se crut transporté au paradis du père Papillon où tous les amoureux, et pour l'éternité, se retrouvent âgés de vingt ans. Il s'attendait d'un instant à l'autre à voir apparaître le vieux musicien, rajeuni, à la tête d'une fanfare d'anges roses portant lyres, hautbois d'amour et luths, mais il crut découvrir dans le regard vert de la jeune fille un si amer reproche qu'il fut ramené à sa situation peu édifiante d'ivrogne lubrique s'apprêtant à posséder un corps de femme.

Aussitôt, lâchant le soleil qui bondit dans le ciel pour aller descendre au fond de l'horizon, il voulut se lever, en proie à la plus vive honte, prendre dans ses mains la robe de la mer et en revêtir le buste de la femme. Mais une violente douleur au dos l'empêcha de bouger et il se contenta d'enlever sa chemise imprimée d'hibiscus afin d'en recouvrir chastement les beaux seins nus du sable.

Il pressentait Anne-Marie plutôt qu'il ne la distinguait vraiment à cause de ses yeux mouillés de fièvre mais il ne douta pas un instant de sa présence réelle. Toutefois, malgré son envie folle de l'appeler, il ne prononça pas un mot, rendu muet de culpabilité et craignant que la moindre parole ne fasse s'évanouir l'évanescente apparition.

Toute légère sur ses menus pieds et semblable à ces petits pluviers qui suivent sur leurs petites pattes rapides le flux et le reflux des vagues, il la regarda disparaître au loin parmi les embruns mauves du crépuscule.

Puis il voulut la suivre, implorer son pardon, mais la douleur atroce dans son dos l'empêcha de nouveau de se mettre debout. Ce mal il l'attribua à une mauvaise chute qu'il avait dû faire alors qu'il se trouvait sous l'effet du vin d'oranges, mais il provenait de cet endroit précis où son pauvre corps, de moins en moins engourdi, commençait à ressentir, dans la chambre d'hôpital des Trois-Rivières

où on l'avait ramené depuis quelques heures, les suites de
la profonde intervention chirurgicale.

Le nouvel homme parvint à se traîner jusqu'à son chalet où, toute la nuit, dans la plus vive agitation, il attendit le retour de l'aurore afin de s'assurer qu'il n'avait pas rêvé.

Si la jeune fille aperçue était bien Anne-Marie, c'est qu'il était rendu au paradis du père Papillon ou bien qu'à force de se remettre au monde il avait obligé le temps à rebrousser chemin et qu'ils se retrouvaient tous deux recommençant le fabuleux été de 1927. Mais dans un cas comme dans l'autre, jamais il ne trouverait les mots pour s'excuser de la situation grotesque dans laquelle l'avait surpris la bien-aimée. Et comment affronter son regard de reproche ? et n'allait-elle pas avec raison refuser de lui pardonner son égarement de malheureux ?

Le soleil, les oiseaux, les fleurs et l'aube dispersèrent en partie ces tourments nocturnes et le nouvel homme, après avoir comme chaque matin déjeuné d'un énorme pamplemousse rose, d'une orange pressée et d'un morceau de bonbon aux pacanes, sortit sur le bord de la mer.

Et tout le jour il arpenta la plage prenant plaisir à marcher parmi l'écume éblouissante de lumière, observant le vol vif et noir des cormorans, les bandes de canards, les plongeons bruyants des pélicans, un limule ou crabe fer-à-cheval parfois ramant au fond des eaux limpides, les étoiles de mer, un bernard-l'hermite rentrant précipitamment dans sa coquille, des pêcheurs attrapant près du bord des poissons blancs comme le sable, les dauphins s'ébrouant au large, les mouettes par centaines comme un grand chapeau de plumes immaculées tournoyant au-dessus de la tête d'une personne qui leur jetait des miettes de pain.

A la fin, lorsque le soleil eut commencé d'amorcer sa descente vers l'horizon, il s'étonna de la brièveté de ce jour qu'il s'était attendu à trouver interminable à cause de sa fébrile attente ; le temps, en effet, depuis qu'il avait commencé d'éprouver cette douleur au dos, lui sembla avoir accéléré sa course d'étrange façon.

Or c'est au moment même où, méditatif, il s'interrogeait sur ce phénomène qu'il aperçut venir de loin, parmi les embruns roses, Anne-Marie ou celle qu'il prenait pour Anne-Marie. Il resta là, immobile, attentif aux moindres mouvements de la fée qui venait toute légère comme la veille sur ses petits pieds nus d'oiseau suivant le flux et le reflux des vagues. Elle passa tout près de lui, ses cheveux roux immenses déroulés jusqu'aux reins, ses yeux verts fixés sur la mer, les ailes de ses narines soulevées de passion, ses joues tachetées de grains de beauté. L'homme l'observa avec fascination. Coiffée d'un grand chapeau de paille, un long châle de laine vert jeté sur les épaules, elle portait une jupe longue fabriquée avec une paire de jeans bleus dont elle avait défait les coutures à l'intérieur des jambes et qu'elle avait recousus, à l'avant et à l'arrière, à deux triangles de cotonnade ornée de fleurs minuscules. La fée délicate, un bracelet de petites clochettes sonnant à son poignet gauche, tenait sous ses seins un panier de joncs tressés s'arrêtant parfois pour y déposer un coquillage qu'elle décelait parmi l'écume avec le bout fin de ses orteils nus.

Ainsi, celle qu'à la faveur de l'euphorie provoquée par le plaisir retrouvé de vivre et par le vin d'oranges il avait confondue la veille avec Anne-Marie n'était pas le fantôme de la femme tant aimée. Malgré son air farouche et tendre de lys sauvage qui en faisait une sorte de sosie de la petite Américaine de jadis, elle n'était qu'une jeune fille de l'île en quête de coquillages. Et l'homme, après un premier moment de déception, ne put s'empêcher, rentrant à son chalet, d'éprouver un sentiment de détente, de bien-être, n'ayant plus aucune raison d'être écrasé de honte et de remords.

Il s'allongea sur son vieux lit au matelas trop mou et, de toute la nuit, il ne put fermer l'oeil, en proie au charme du petit personnage à clochettes qu'il venait de découvrir parmi toutes les beautés si merveilleuses déjà du jardin enchanté de sa nouvelle vie.

Une pensée bouleversante soudain s'empara de lui. La petite fille qu'il portait depuis toujours en lui et qu'il avait tant rêvé jadis de déposer dans le ventre d'Anne-Marie afin que cette-dernière puisse la modeler bien en chair et lui donner les formes de la vie, si cette petite fille avait pu voir le jour, elle aurait été identique à la fée délicate dont il venait d'admirer les fins pieds nus foulant l'écume de la mer et les longs cheveux roux rivalisant avec la splendeur du soleil.

Et à cette pensée, une tendresse immense l'envahit à mesure que remontaient tant d'émotions éprouvées jadis puis enfouies au plus creux de son coeur.

Le besoin de reproduction était une force de la nature, une réaction violente de tout être jeune contre la mort. Personne n'admettait la splendeur éphémère des fleurs. On plongeait les plus belles dans la paraffine pour les conserver, on en fabriquait en plastique, en verre, en pierres précieuses. On épinglait pour les garder des papillons ne vivant guère qu'un jour. On immobilisait par le dessin, par la photographie, par la sculpture les traits d'un visage aimé. Les Egyptiens avaient même poursuivi des recherches afin d'éterniser sous forme de momies les êtres dont ils ne pouvaient accepter la disparition et la décomposition. Et si personne n'admettait la splendeur éphémère des fleurs, personne, à plus forte raison, n'acceptait l'éphémère fraîcheur de sa propre jeunesse. Les hommes, pour la plupart, rêvaient de mettre au monde un enfant mâle afin de se refaire et de donner à cet enfant tout ce qu'ils auraient voulu qu'on leur eût donné à eux. Mais lui, à l'époque où il était peintre, avait désiré une petite fille parce que c'est Anne-Marie, plutôt que lui-même, qu'il avait espéré reproduire et parce qu'il avait toujours eu la conviction que la suprême preuve d'amour qu'un homme pouvait donner à une femme était de désirer la reproduire. Créer une petite fille, c'était continuer la femme, continuer au mépris du temps la beauté des fleurs, des plantes, des oiseaux, la beauté du soleil, la beauté de la vie. Mais ce besoin irrépressible, pourtant, jamais il ne l'avait éprouvé pour une autre femme qu'Anne-Marie. Dès qu'il l'avait aperçue, dès la première fois, sur la plage du Port Saint-François, dès cet instant il s'était mis à craindre que cet exemplaire unique de beauté périsse. Une force en lui avait exigé qu'il sauve de la mort cet être merveilleux en le recommençant afin de le soustraire au destin, en le continuant, en le multipliant jusqu'à recouvrir la terre de petites Anne-Marie rousses. Et si la souffrance d'avoir perdu Anne-Marie était immense, l'impossibilité où il s'était vu contraint de ne la point pouvoir reproduire était une douleur aussi inconsolable.

C'est pourquoi, au cours de cette nuit fiévreuse, il se prit d'une tendresse infinie pour la petite fée au panier de joncs tressés qu'il venait d'apercevoir au bord des eaux. Il possédait peu mais il aurait voulu lui donner tout. Il possédait en tout cas un coeur bourré d'amour et qui n'avait jamais vraiment servi et ce coeur était un trésor qu'il aurait souhaité courir déposer dans son panier de joncs en lui disant : « Fais-en ce que tu veux mais garde-le, libère-z-en la poitrine d'un pauvre homme où il se meurt inutile, et pour peu qu'une bonne chaleur s'en dégage encore, garde-le tout près de toi afin que jamais tu ne connaisses la froidure effrayante de la solitude qui fut mienne pendant toute ma vie. Garde-le comme je l'aurais donné tout entier à ma fille, à ma femme car je n'ai jamais rêvé que de donner mon coeur entier comme un soleil dont personne n'a jamais voulu ».

L'homme, les yeux mouillés de larmes, rêva d'étreindre cette jeune fée, de l'étreindre jusqu'à la confondre avec lui-même afin de la protéger contre la solitude et pour apaiser un peu le besoin délirant d'aimer qu'il n'arrivait plus à contenir. Et alors il l'aima, il l'aima comme un fou, confusément, il l'aima comme son enfant, comme un fantôme d'Anne-Marie ressuscitée, puis comme il s'étonnait d'étreindre ainsi une jeune fille inconnue et de l'aimer aussi éperduement, il s'écria : « Et puis quoi ? n'ai-je pas droit moi aussi à l'amour ? n'ai-je pas droit même à un nouvel amour ? »

Bien sûr, après la perte d'Anne-Marie, il aurait dû tout oublier, recommencer, chercher une autre femme, avoir des enfants avec elle, être heureux ! Mais il n'en avait pas trouvé la force et était demeuré assis auprès de son idole jalouse qui lui avait interdit de continuer à vivre. Mais maintenant qu'il venait de renaître en un monde nouveau, à des fruits, à des fleurs, à des oiseaux nouveaux, maintenant que, bronzé par le sel et le soleil, il se sentait une vigueur presque identique à celle d'autrefois, maintenant qu'il avait réappris à adorer la vie, pourquoi ne pas faire table rase du passé ?

237

Il avait soixante et neuf ans, d'accord, mais il plongeait, nageait, mangeait avec plein appétit, parcourait l'île à bicyclette, s'émerveillait de tout comme un jeune homme. La tristesse et le temps certes avaient ridé ses traits mais, tout considéré, il ne paraissait guère plus âgé qu'un homme de quarante-neuf ou cinquante ans. Peut-être n'était-il pas trop tard. On avait vu des filles de vingt ou vingt-deux ans s'éprendre d'hommes dans la force de la maturité.

L'aube déjà mettait son nez de jeune fille curieuse aux fenêtres et l'homme neuf, tout à l'exaltation de sa rêverie, se voyait réparant d'un coup sa vie ratée, compensant deux pertes jusque-là considérées comme définitives, en se faisant aimer d'une femme qui soit à la fois son épouse et sa fille, et cette femme qu'il ne connaissait que pour avoir entendu tinter son petit bracelet de clochettes et avoir vu ses cheveux roux immenses se mêler aux embruns roses de la mer, il la baptisa, en hommage envers le passé et par reconnaissance envers le présent, du beau nom d'île d'Anna Maria.

Les jours suivants, il la revit passer avec sa légèreté de pluvier, toujours vêtue de sa jupe longue à triangles de cotonnade et de son châle de laine vert cherchant du bout de ses orteils des coquillages parmi les sables orangés du crépuscule. Il s'enhardit même jusqu'à la suivre, un soir, jusqu'à un petit chalet tout aussi délabré que le sien où il semblait bien qu'elle vivait seule.

Et chaque matin, de plus en plus épris, il parcourait la plage et les rues de l'île comme s'il se fût agi d'une sorte d'église de lumière, d'une sorte de temple plein de dieux nouveaux pour lesquels il se découvrait une vénération émue, remerciant de tout son coeur les orangers, les citronniers, les hauts palmiers royaux, les lauriers-roses, les bananiers, les tulipiers, les pélicans, les mouettes rieuses, les dauphins, les paons, les mockingbirds, les rouges-gorges, les arbres à poivre, les vignes de mer, les poinsettias, les fleurs d'hibiscus pourpres, les oiseaux de paradis, les cardinaux comme les gouttes de peinture rouge de son enfance, les arbres d'orchidées et le soleil. Il se voyait déjà, au sortir de ce temple, lui, triomphant comme un soleil au bras d'Anna Maria dont le long châle vert piqué d'orchidées roses et déployé serait une robe à traîne si immense qu'elle ferait comme la mer tout le tour de la terre.

Il remerciait les dieux juteux et colorés de la vie de lui avoir permis d'encore aimer. Son existence enfin se découvrait un sens. Mais chaque fois que la petite fée passait comme un pluvier suivant le flux et le reflux des vagues, chaque fois le coeur du nouvel homme, lui, suivait le flux et le reflux du désir et de l'hésitation. Comment allait-il l'aborder ? Jadis, il était beau, jeune et rien ne lui était plus aisé que d'adresser la parole à des filles dont il sentait qu'elles souhaitaient faire sa connaissance. Et les pires maladresses, à cette époque, l'auraient tout au plus fait qualifier de jeune fou sympathique, tandis que maintenant la plus petite indélicatesse risquait de le faire passer pour un dangereux satyre. Il lui dirait tout simplement, soulevant de sur sa tête sa casquette orange : « Mademoiselle, permettez à un homme qui a beaucoup souffert mais n'a jamais cessé d'admirer la beauté du monde de prendre deux petites minutes de votre temps. J'ai suffisamment vécu pour avoir le respect des gens et rien ne me serait plus pénible que de vous importuner ne fût-ce qu'un instant. Mais laissez-moi simplement vous dire, et de la façon la plus désintéressée, que vous êtes très belle et que le spectacle de votre beauté est une fleur, une lumière. Si chaque homme, lorsqu'il aperçoit une belle femme, s'arrêtait un instant pour lui dire, comme cela, en toute simplicité, et sans la moindre intention déshonorable, qu'elle est belle et que le spectacle de sa beauté est une joie pour les yeux, ne croyez-vous pas que la vie serait plus agréable ? Et quel mal y a-t-il à cela ? On s'arrête auprès d'une fleur, d'un bel oiseau, pourquoi ne le ferait-on pas auprès d'une belle jeune femme ? Cela coûte si peu et peut faire tant plaisir. Voilà, je n'ai rien d'autre à ajouter sinon que je remercie la vie d'avoir créé de belles fleurs, de beaux oiseaux et de belles jeunes filles pour le simple bonheur de mes yeux. Excusez-moi d'avoir pris ces deux minutes de votre vie, continuez d'être belle et je vous souhaite d'être heureuse. Vous vous direz sans doute : « Cet homme est un fou » et vous aurez peut-être raison mais moi je suis content de m'être arrêté un instant pour rendre ce très simple hommage à votre grande beauté ».

La formule peut-être était empreinte d'une dignité d'un autre âge, d'un respect de la femme un peu suranné, mais, tout nouvel homme qu'il fut devenu, il n'était point encore parvenu à adopter pour siennes les méthodes plus expéditives des jeunes d'aujourd'hui ; qui sait d'ailleurs si le ton un peu vieillot de son couplet galant n'allait pas plaire à cette petite créature elle-même étrangement sans âge avec son grand chapeau de paille, son châle de laine vert et sa jupe longue à triangles de cotonnade fleurie ?

Et le nouvel homme, cherchant des phrases nuancées pour exprimer une admiration apparemment dépourvue de bas intérêts, se dit qu'il conviendrait également d'offrir à la petite fée quelques beaux coquillages qu'elle pourrait ajouter à sa collection. Aussi passa-t-il tout le jour, un sac de polythène à la main, à fouiller les sables en quête de raretés. Il ramassa d'abord quelques étoiles de mer, deux hippocampes roses, cinq colimaçons appelés « oeil de requin » en raison de leur aspect, des oursins mauves et des multitudes de « coquinas », genres de tellines ou petites huîtres guère plus grosses qu'un ongle mais dont les couleurs sont variées à l'infini. La plage d'ailleurs regorgeait de coquilles, chaque vague apportant de nouveaux trésors. Les plus remarquables pièces toutefois étaient habituellement brisées et il était fort difficile de trouver des conques qui ne fussent pas réduites à l'état de fragments affectant toutes sortes de formes étranges. Le coeur spiralé des conques, par exemple, ressemblait souvent à une fleur et le nouvel homme en découvrit un tout à fait admirable, haut d'environ deux pouces, et ayant la forme à peu près exacte d'un lys sauvage orange.

Le nouvel homme, à la fin, fut si préoccupé par ses recherches qu'il en oublia le temps. Le soleil descendit au ras des eaux devenues roses sans qu'il en ait eu connaissance et, lorsqu'il releva la tête, épuisé par son labeur, il aperçut à vingt pas de lui Anna Maria qui l'observait avec un merveilleux sourire.

Il resta si surpris qu'il fut incapable de prononcer un mot. Il était là, pieds nus dans l'écume, aussi ridicule avec son sac trop gros rempli de coquillages qu'il l'avait été jadis, dans la clairière du bois Saint-Michel, lorsqu'il avait offert à Anne-Marie un bouquet touffu, énorme comme une forêt. Heureusement pour lui, le coeur de conque en forme de lys orange était sur le dessus du sac et, sans réfléchir, très maladroitement, il le tendit à la jeune fille qui, à sa grande surprise, l'accepta avec le plus épanoui des sourires.

Puis elle s'éloigna parmi les embruns mauves du soir et l'homme, au comble de la joie, réintégra son vieux chalet, déposa son énorme sac de coquillages sur la table et se jeta sur son lit où, toute la nuit durant, il eut devant les yeux le sourire adorable de cette toute petite fille rousse dont il lui fallut bien s'avouer qu'il était devenu éperdument amoureux. Mais cet amour lui parut si fragile tout à coup qu'il lui sembla tenir toute la petite jeune fille dans le creux de sa main et qu'il n'osa plus bouger de peur de la briser telle un délicat coeur de conque en forme de lys orange.

Le lendemain, le malaise qu'il avait déjà ressenti au dos revint par élancements aigus et lui rendit pénible le lever. Comme à l'accoutumée, il découpa un pamplemousse rose et pressa une orange qu'il accompagna de rôties recouvertes de miel de palmiers, mais il ne put empêcher une vive inquiétude de s'emparer de lui. Aussi, se sentant mystérieusement pressé, il décida d'inviter au plus tôt la jeune fille à souper.

Il sortit parmi les perruches folles qui pépiaient dans la vigne de mer et cueillit un hibiscus au long pistil dont la pourpreur et la corolle offerte avec une volupté toute sexuelle réanimèrent en lui les désirs de l'amour et la folie rouge de sa jeunesse. Il regarda l'allure pitoyable de son chalet et, repris soudain par l'allégresse d'oiseau qui le faisait jadis chanter au bord des toits, il courut chez la propriétaire, lui parla de son ancien métier et la convainquit de lui laisser peindre en rouge, gratuitement, l'extérieur de la cabane.

Emballée par ce projet, mais muette comme toutes les personnes rencontrées par l'homme depuis son départ de Nicolet, la propriétaire bossue et flétrie acquiesça et lui fit comprendre par un beau sourire qu'elle se chargeait de payer la peinture.

Le nouvel homme, sans perdre une minute, se rendit au centre d'achats d'où il revint portant pinceaux, térébenthine, gallons de peinture et brosse d'acier. Et c'est avec une ardeur de garçon de vingt ans qu'il se mit à gratter la peinture écaillée tout à la joie de retrouver cet art qu'il n'avait pas pratiqué depuis trente-neuf années, ce si merveilleux métier qui consistait à réjouir les yeux et les coeurs en enjolivant la vie des gens. Et lui qui pendant sa petite enfance avait rêvé de tout rougir la terre n'était pas né pour autre chose que pour colorer le monde.

Mais ce jour-là fut un bien curieux jour. Le peintre n'avait pas sitôt terminé de gratter les vieux murs que déjà le soleil se couchait au lointain de la mer. On eût dit que le temps soudain s'était déréglé, avait filé avec une rapidité inexplicable, et l'homme, repris par sa douleur au dos, rentra dans son chalet et se mit au lit après s'être regardé un instant dans le miroir jauni de la salle de bain. Ses joues certes n'avaient plus la fraîcheur des fleurs, mais il était bel homme encore, tout bronzé par le soleil, se répétait-il comme pour chasser l'anxiété dont il se voyait la proie. En tout cas, si le temps se mettait à filer à cette allure, il n'avait plus un moment à perdre s'il voulait accéder au bonheur.

Aussi, le jour suivant, s'empressa-t-il de brasser la peinture et de l'étendre sur les murs. Il rapiéça même les moustiquaires de la galerie travaillant avec l'ardeur d'un oiseau qui fait son nid. Puis lorsque le chalet fut tout entier rougi comme un grand hibiscus, il en peintura le contour des fenêtres et les contrevents d'un beau vert tendre ce qui lui donna des sortes d'yeux envoûtants comme ceux de la mer et comme ceux d'Anna Maria.

Mais lorsque son confrère, le peintre immense du crépuscule, eut commencé de promener ses pinceaux roses sur la surface du ciel, et que le nouvel homme voulut se rendre sur la plage pour s'assurer une fois de plus de l'existence de la petite fée de ses rêves, il se trouva si brusquement exténué qu'il lui fut impossible de faire plus de quelques pas sur Mourning Dove Road. Il revint donc s'asseoir dans sa maison maintenant jolie comme une fleur, contempla la vieille table qu'il avait peinte de couleur orange et s'alla allonger sur le matelas mou de son lit.

A l'aube, il s'éveilla secoué par de violentes quintes de toux. Jamais, de toute sa vie, il n'avait été indisposé par l'odeur de la peinture, aussi chercha-t-il une autre cause à son malaise. L'air, eût-on dit, était empoisonné, et presqu'à chacune de ses respirations, l'homme devait s'enfouir la figure dans son oreiller pour diminuer les accès de toux.

Au jour levé, il marcha jusqu'à la plage où il lui fut pratiquement impossible de demeurer. L'embrun irritait et les yeux et les poumons, et des méduses blanches, d'un bon pied et demie de diamètre, jonchaient le bord des eaux. Malgré le soleil toujours présent, la grève était désertée de baigneurs, de mouettes et de pélicans.

L'homme, intrigué, voulut s'enquérir du phénomène auprès de la propriétaire elle-même toussotante qui ne lui répondit que par le merveilleux sourire des habitants de cette île heureuse.

Il s'enferma alors dans son chalet, fouilla dans ses livres et découvrit à un chapitre intitulé « De la marée rouge » l'explication du mystère. Des marées rouges se produisaient un peu partout dans les mers chaudes et fréquemment dans le Golfe du Mexique, mais il était très inhabituel qu'elles survinssent au cours des mois d'hiver. Elles étaient dues, après une période torride et sans vent, à la mort soudaine d'immenses nuées de plancton. L'explosion de certains éléments protozoaires de ces créatures microscopiques donnait par endroits à la mer une coloration rouge, et ces protozoaires secrétaient une toxine qui faisait mourir des quantités innombrables de poissons. L'air charrié par la mer irritait d'ailleurs à tel point les poumons de l'homme qu'il fut contraint de fermer ses fenêtres et de mettre en marche un vieux conditionneur d'air rouillé qui menait un vacarme insupportable.

Enfermé de la sorte, il lui vint à l'idée de s'occuper à la fabrication de présents qu'il pourrait offrir à Anna Maria. Il répandit sur la table orange les nombreux coquillages ramassés quelques jours plutôt, choisit les plus beaux et se mit à coller sur un fil les « coquinas » , ces minuscules tellines aux couleurs infiniment variées, afin de constituer un long collier. Ce travail exigea un jour entier de patient labeur. Avec les colimaçons en forme d'yeux appelés « oeil de requin » , il se proposa de confectionner un bracelet en les perforant chacun d'un petit trou. Puis il perça également d'un trou un coeur de conque très fragile ayant la forme d'un lys orange de deux pouces de hauteur afin d'en faire un pendentif.

Le plaisir qu'il trouva à créer de ses mains ces délicats bijoux lui permit d'oublier la furie meurtrière de la mer mais pour bien peu de temps. Pendant les trois jours que dura le plus fort de la marée rouge, il dut à quelques reprises, manquant de coquillages, aller parcourir la grève. L'air y était irrespirable engendrant une toux qui, à la longue, devenait douloureuse. Une fois même, les yeux de l'homme furent si échauffés par les embruns qu'il revint à tâtons jusqu'à son chalet où il dut s'étendre pendant plus de deux heures avec des compresses d'eau fraîche sur ses paupières brûlantes.

Mais ces indispositions n'étaient d'aucune importance comparées au terrifiant spectacle de la plage littéralement couverte de milliers et de milliers de poissons morts rejetés par les vagues. Depuis les plus petits jusqu'aux énormes carpes et aux tarpons à grosses écailles parfois longs de près de trois pieds, des poissons de toutes espèces s'y entassaient, les yeux dilatés, la vessie natatoire rejetée par la gueule ouverte. Des poissons bleus, des poissons-chats ressemblant aux barbottes, des poissons-aiguilles, des mulets bruns, des pompanos argentés aux flancs roses, des poissons porcs-épics, des rougets, des « as de pique » blancs zébrés de noir, d'étranges anguilles pas plus grosses qu'un doigt mais longues de trois pieds, des poissons superbes, de toutes les couleurs, de tous les formats et qui ne formaient plus qu'un amas gluant d'où s'élevait une odeur pestilentielle. Il aperçut même une fois, pour comble, les ailerons sombres d'une bande de requins faisant festin de toute cette charogne flottant sur les eaux.

Jamais la nature n'avait offert à l'homme le spectacle d'un carnage d'aussi barbare envergure et lorsqu'il se coucha, au soir du troisième jour, empêché de dormir par le bruit de ferraille du conditionneur d'air et par une toux qu'il n'arrivait plus à contrôler, il eut l'impression qu'il étouffait comme l'un de ces poissons, appelant au secours mais perdu parmi la montagne de cadavres accumulés par l'océan des siècles sur la grève noire du temps. Et malgré tous les efforts qu'il fit pour la chasser, l'idée atroce qu'il n'était ici qu'en sursis lui revint à la mémoire. Ce voyage entrepris vers le soleil, les médecins l'en avaient prévenu, ne pouvait pas durer plus de deux ou trois années. Mais il avait redécouvert la vie, les fruits, les fleurs, les oiseaux, la lumière, il s'était peu à peu remis au monde, il avait fait de lui un homme neuf capable même, peut-être, d'aimer de nouveau. Aimer ! Plus que jamais il voulait vivre, avec intensité, toujours, toujours ! Il avait réouvert les portes du paradis perdu de sa jeunesse et voici soudain que l'horreur de la réalité se déchaînait contre son rêve de bonheur. Et cette rée sanguinaire qui portait le nom de marée rouge et tuait tout sur son passage lui apparut brutalement du plus mauvais présage ressemblant à cause de son nom à cette grande remontée de folie rouge qui venait de s'emparer de lui sur ses vieux jours et qui sans doute n'annonçait rien d'autre que sa mort.

Au matin du quatrième jour, l'air déjà moins irritant mais qui faisait toujours tousser lui permit de se rendre jusqu'à la plage. Sous un soleil radieux, deux tracteurs s'affairaient à enfouir dans de grandes fosses les amas de poissons morts. Quelques mouettes revenues sillonaient le ciel bleu. Les perruches se pourchassaient parmi les feuilles de la vigne de mer. Les hibiscus pourpres ouvraient leurs corolles sexuelles, et l'homme se reprit à espérer. Ce jour-là serait beau, la nature déjà essayait d'oublier le carnage y parvenant d'ailleurs avec cette déconcertante aisance avec laquelle l'herbe neuve et les fleurs jaunes des pissenlits foisonnent dans les cimetières des hommes.

Il n'était plus question de perdre un seul instant. Dès aujourd'hui, il inviterait Anna Maria à souper. Il se rendit en voiture jusque chez les poissonniers du pont Cortez, à l'autre bout de l'île, afin de s'y procurer des filets de carrelets attrapés dans la Baie de Sarasota car il était hors de question de songer à aller pêcher lui-même du poisson frais sur le Rod and Reel Fishing Pier, lequel donnait sur les eaux empoisonnées du Golfe. Puis il rentra dans son chalet rouge aux jolis yeux verts et s'y affaira aux préparatifs du repas.

Le temps, une fois de plus, pourtant, lui sembla s'être

déréglé. Il n'était pas dix heures et trente lorsqu'il était arrivé chez les poissonniers y achetant, outre les filets de carrelets, des pinces de crabes de roches et des crevettes, il en était plus de deux lorsqu'il revint à son chalet. Aussi s'empressa-t-il de disposer sur la table orange couverts, ustensiles et chandelles. Il servirait un petit verre de vin d'ananas comme apéritif, ferait suivre d'une salade de tomates à l'huile, les pinces de crabes et les crevettes tiendraient lieu d'entrée, puis viendraient assaisonnés de sauge, de romarin, de marjolaine et de thym, les carrelets accompagnés d'un riz au safran, le tout généreusement arrosé d'un chablis blanc de Californie bien frappé. En guise de dessert, il y avait des petits gâteaux, du miel d'oranges, du miel de palmiers, du beurre de noix de cocos, des bonbons aux pacanes et une purée de papayes, fruits ayant à peu près le goût et l'apparence du melon. Un verre de vin d'oranges, enfin, compléterait le repas puis on bavarderait dans la détente en dégustant un thé aux épices et aux oranges dont l'arôme exceptionnel embaumant la pièce ajouterait encore au charme de la soirée.

L'homme disposa un peu partout des orchidées roses, des alamandas or et des hibiscus pourpres. Au centre de la table, il posa un bouquet de fleurs de citronniers puis couronna le tout en plaçant devant l'assiette destinée à Anna Maria un oiseau de paradis, cette reine des fleurs dont les pétales se dressent en huppe orange et dont la cosse violette imite la forme d'un long bec d'oiseau.

Puis l'homme, repris par son étrange mal de dos, alla s'asseoir dans la berceuse de rotin, s'alluma une pipe de tabac fort et imagina la jeune fée entrant, pieds nus, ses beaux yeux verts intimidés d'abord et cherchant refuge entre son chapeau de paille et son châle de laine relevé jusqu'au dessus du nez. Mais ce malaise durerait peu faisant vite place au plaisir ému avec lequel elle découvrirait autour de son assiette le collier de « coquinas », le bracelet d'yeux de requins, le pendentif en coeur de conque délicat comme la corolle d'un lys orange, cadeaux auxquels l'homme avait ajouté deux petits lampions à la lavande et trois savons en forme d'hippocampes, le premier aromatisé aux mûres, le second aux framboises, le dernier à la fleur de magnolia. A chacun de ses gestes vifs, on entendrait tinter de joie les clochettes minuscules de son bracelet et ses immenses cheveux roux, soulevés par l'enthousiasme, danseraient dans l'espace pareils aux flammes enchantées de quelque âtre magique.

L'homme soudain se leva d'un bond apercevant sur le dossier de la chaise destinée à la jeune fille la chemise à carreaux rouges qu'il avait disposée là depuis le jour de son arrivée et qui lui tenait lieu de compagnie chaque fois qu'il prenait place à table pour manger. Pris de panique, il enleva la chemise cherchant un endroit où la cacher. Il la plaça tout au fond d'un tiroir, dans sa valise, dans le haut d'une armoire mais tant qu'elle demeurait à l'intérieur du chalet il ne pouvait empêcher son coeur de battre à se rompre. A un certain moment, il retourna la chercher, faillit la redéposer sur le dossier de la chaise et abandonner le projet de son souper. Mais il chassa d'un grand coup de volonté ce sentiment insupportable d'infidélité. Non, cette fois, il irait jusqu'au bout, il ne laisserait pas gâcher cet amour neuf par le fantôme obsédant de l'ancien.

Il sortit donc dehors et, sans savoir exactement ce qu'il faisait, il jeta la chemise dans le coffre de sa vieille

Ford. Dès qu'il eut refermé le coffre toutefois, il se rappela certaines scènes brutales aperçues dans des films et dans des journaux à sensation, des sueurs froides perlèrent à son front et il fut en proie à la nervosité extrême d'un homme qui vient d'assasiner sa femme et d'en cacher le corps dans le coffre de son auto.

Il s'alluma une nouvelle pipe, revêtit sa belle chemise jaune imprimée d'hibiscus pourpres, son pantalon Bermuda vert orné de citrons stylisés, mit sa casquette orange et se dirigea vers la plage.

Il n'était pas encore cinq heures mais l'homme, pressé par le temps qui continuait à se dérouler de façon extravagante, se dit qu'une balade au grand air lui permettrait de retrouver son calme et de réfléchir à la façon dont il allait procéder à l'invitation sans effaroucher la belle enfant rêveuse au panier de joncs tressés. Il valait mieux d'ailleurs se rendre immédiatement au bord des eaux s'il ne voulait pas risquer de rater son léger passage de pluvier.

L'embrun continuait d'irriter les poumons provoquant une toux presque constante mais la mer avait retrouvé sa limpidité verte et le soleil déjà séchait la peau des poissons morts dont les deux tracteurs ne parviendraient pas avant quelques jours à faire disparaître le nombre incalculable.

L'homme soudain s'arrêta net. Une jeune fille rousse au corps d'une merveilleuse beauté était étendue en bikini vert à quelque mille pieds de lui. Après une minute d'étonnement, il reconnut Anna Maria qu'il découvrait pour la première fois dans toute la splendeur de sa presque nudité.

Il s'efforça de tousser moins fort afin de n'être pas

aperçu et s'assit parmi les dunes pour réfléchir à cette situation imprévue. Puis, comme il la voyait seule, apparemment ennuyée esquissant des dessins sur la grève et échafaudant avec le sable blanc de tout petits châteaux de chimère, il décida de se remettre sur pieds et de se diriger vers elle.

Or c'est à ce moment précis qu'il distingua parmi les fortes vagues un garçon blond vêtu d'un collant de caoutchouc noir qui s'efforçait de se tenir en équilibre sur une aquaplane et, du sommet des crêtes d'écume, envoyait la main à la jeune fille. Lorsque le beau sportif basculait dans la mer on le perdait de vue pendant quelques minutes, il se couchait sur l'aquaplane et attendait une houle plus haute que les autres pour se remettre debout sur sa planche et chevaucher tel un dieu luisant de sel l'énorme masse liquide. A la fin, il détacha l'aquaplane retenue à l'une de ses chevilles par une chaînette, émergea sur la plage, enleva son costume de caoutchouc noir et courut, superbement bronzé, vers Anna Maria. Très grand, de carrure athlétique, il avait cette figure épanouie de jeune Floridien qui n'a jamais pensé et qui ne pensera jamais n'en voyant pas l'utilité. Et son visage radieux, couronné de blondeur et ruisselant de gouttelettes, brillait dans la lumière comme un frais citron tranché. Il souleva la petite fille dans ses bras, puis, main dans la main, ils se dirigèrent à pas lents vers l'autre extrémité de l'île.

L'homme que son dos faisait de plus en plus souffrir les suivit à bonne distance. Anna Maria parfois quittait la main de son ami pour aller ramasser un menu coquillage parmi l'écume mais lui la rattrapait bientôt par la taille et l'entraînait.

Ils parvinrent ainsi jusqu'au chalet délabré où l'homme avait cru, quelques jours plus tôt, que la petite fée rousse à châle vert habitait seule. Puis ils y pénétrèrent et, avant que le garçon n'eut tiré les rideaux, il put l'apercevoir qui, d'une simple pression des doigts, faisait sauter l'agrafe de la partie supérieure du maillot de bain de la jeune fille et lançait le soutien-gorge à travers la pièce.

A ce spectacle, l'homme se prit le coeur à deux mains en proie à la plus vive douleur et s'éloigna en s'efforçant de ne point trop tousser pour ne pas attirer l'attention et pour ne pas passer pour un voyeur. Son pauvre coeur, il le sentit bien, ne pourrait pas supporter ce second rêve d'amour perdu, mais une souffrance plus aiguë encore acheva de le briser, car l'homme, comprenant d'un coup qu'il ne lui était plus possible de rivaliser contre tant de lumineuse jeunesse, comprenant qu'il avait fini et pour toujours de plaire, se sentit rejeté de la vie comme ces poissons morts que les tracteurs du temps poussaient en tas puants vers de grands trous.

Au-dessus de sa tête, une nuée de mouettes vint tournoyer dont les cris rieurs, cette fois, avaient les accents cruels de la moquerie.

L'homme, se pressant la poitrine de ses deux mains, toussait de plus en plus. Passant près de l'endroit où il avait vu tantôt Anna Maria étendue dans son bikini vert, il s'arrêta pour caresser le modelé du corps empreint sur le sable, puis un vertige faillit emporter tout à fait sa raison lorsqu'il crut distinguer dans la divagation de son esprit la forme d'un grand lys qu'elle avait dessiné du doigt sur la grève. L'avait-elle esquissé pour se distraire en attendant son amant ou bien pour ajouter un peu de rêve à une union que l'homme s'efforçait de croire trop exclusivement physique pour celle qu'il avait imaginée en fée si délicate ? A cette idée, brusquement, il faillit retourner sur ses pas et l'aller disputer âprement au grand sportif au frais visage de citron, mais les mouettes éclatèrent d'un fou rire autour de lui et l'homme, abîmé de chagrin, se sentit soudain immensément vieillir et immensément las des illusions.

Toujours suivi par les mouettes moqueuses qui maintenant tourbillonnaient blanches comme des flocons de neige, il pénétra dans son chalet où les fourmis noires, faisant fi du chlordane qu'il avait saupoudré dans tous les coins, étaient parvenues à se frayer un passage et couraient sur la table orange parmi les fruits et les gâteaux.

Il tenta d'abord de les chasser puis il se laissa choir dans sa berceuse de rotin, la terre lui étant brusquement apparue comme une énorme boule perdue dans l'espace, boule sur laquelle la foule éperdue des humains s'enfuyait poursuivie par les bataillons de fourmis noires de la mort. Et cette foule, faisant le tour de la terre, était ramenée sans cesse à son point de départ où les fourmis, se jetant sur elle, la déchiquetaient à coups de mandibules tranchantes.

Et l'homme, redevenu soudain vieil homme, se vit à l'image de sa cabane. De même qu'il avait tenté d'en recouvrir de peinture rouge les planches rongées depuis longtemps par les vers à bois et par le temps, de même il s'était efforcé de camoufler son âge sous une casquette orange, une chemise jaune imprimée d'hibiscus pourpres et un pantalon Bermuda décoré de citrons. De même également les planches de chair de sa charpente à lui, sous le revêtement factice de la peinture rouge du rêve, étaient depuis longtemps mangées par la vermine de la mort.

Le vieil homme revint s'asseoir à la table où il avala d'un trait un grand verre de vin d'oranges après avoir porté un toast à la chaise vide qui lui faisait face.

Puis il se mit à boire à même la bouteille et, pris d'une subite fureur, il frappa à coups de poings dans le festin, fit basculer la table chargée de mets et de cadeaux et se mit à briser sous ses pieds pinces de crabes, crevettes, pots de miel, lampions à la lavande, savons en forme d'hippocampes, collier de « coquinas » et bracelet d'yeux de requins en criant comme un fou : « Sorcière ! Sorcière ! Tu as ensorcelé ma vie. Tu as mis le feu partout et il n'est rien resté de moi. C'est un mort qui te parle une fois de plus et je t'ai trop aimée pour ne pas te haïr d'autant en ce moment ! »

Mais cet accès de rage fut aussitôt suivi d'une immense montée de tendresse et le vieil homme, constatant qu'il avait bien failli être infidèle à celle qui avait été à la fois le soleil et la mort de sa jeunesse, se mit à balbutier : « Je t'aime, Anne-Marie, je t'aime et jamais, tu entends ? jamais je n'ai aimé une autre femme que toi ». Puis il courut en titubant jusqu'à la vieille Ford déglinguée d'où il revint avec la chemise à carreaux rouges qu'il réinstalla sur le dossier de la chaise.

Il s'assit face à la chaise et, s'adressant à la chemise, il chercha les mots capables de l'excuser : « Pardon, mon amour, pardon d'avoir cru qu'après t'avoir aimée et perdue la vie pouvait encore continuer et être belle ». On peut s'étourdir, s'enivrer comme les rouges-gorges dans les arbres à poivre, on peut s'emplir les yeux et tous les sens de fleurs, d'oiseaux et de parfums mais on ne recommence pas un grand amour. Et tous les citronniers, tous les palmiers, les pélicans, les cardinaux, les fraises et les aigrettes blanches, tous les bananiers, toutes les perruches, tous les lauriers, les mockingbirds, les tulipiers, les paons, la mer et les oiseaux de paradis et le soleil lui-même et toute la splendeur du monde, tout est impuissant à remplacer un être aimé, tout est poussière dans un coeur qui a perdu l'amour.

Il avait cru lointaine cette rencontre ultime sur le quai du Port Saint-François, mais rien n'était lointain, il n'y avait pas de temps dans l'amour, et la blessure d'autrefois était toute fraîche encore. Il avait espéré se défaire du fantôme d'Anne-Marie en cherchant à grossir ses défauts, mais cet orgueil, ces tourments, ces réactions irrationnelles faisaient partie du charme même de celle qu'il avait adorée. Sans eux, elle n'aurait pas été la même, et il ne l'en aima que davantage à mesure qu'il évoquait les imperfections merveilleuses de son caractère. Qu'avait-elle eu de si particulier, qu'avait-elle eu de plus qu'une autre parmi tant de femmes admirables créées sans cesse par la terre généreuse ? Rien peut-être en fin du compte, rien sauf qu'il l'avait aimée de tout son être et qu'à jamais cela la différenciait de toutes les autres, la rendait unique, irremplaçable. Il n'y avait eu depuis le commencement du monde et il n'y aurait jusqu'à la fin des temps qu'une seule Anne-Marie, une seule, et cette Anne-Marie, il l'avait manquée. Sa vie vraiment s'était arrêtée là, à cet instant précis où elle l'avait quitté près de sa maison du « bas de la rivière », en cette nuit de pleine lune de 1927, si bien qu'au comble de l'agitation et de l'ivresse, il se retrouva aussi amoureux et sans espoir qu'en cet instant où il était demeuré seul face à l'éternité, tout seul avec entre ses doigts crispés une toute petite photo d'enfant et un bouquet fragile d'immortelles.

« Anne-Marie, dit-il, je t'aime » et le vieil homme, tentant de se lever pour une ultime étreinte, s'affaissa de tout son long parmi le miel d'oranges, les fourmis noires, les coquillages et les pétales d'hibiscus. Il s'affaissa toussant à rendre l'âme, la figure enfouie dans la chemise à carreaux rouges.

Une colombe éplorée, sur un arbre d'orchidées roses de Mourning Dove Road laissa monter sa plainte étrange emmêlant aux sanglots étouffés les soupirs de l'extase amoureuse. Le soleil mauve fut lui-même une colombe énorme posée sur l'arbre d'orchidées des nuages roses et, lorsqu'il disparut sous l'horizon liquide, c'est le coeur du vieil homme qui, tel un oiseau éploré, tomba de la plus haute branche de l'arbre d'orchidées roses de l'Illusion, tandis qu'un coup de vent glacial dépouillait ce bel arbre de toutes ses fleurs emportées dans le vide éternel comme autant de petits papillons morts.

Le vieil homme, étouffé par des quintes de toux, s'éveilla dans son lit blanc d'une des chambres à murs blancs d'un hôpital des Trois-Rivières. Couché sur le côté, une douleur atroce lui vrillait le dos, et, lorsqu'il ouvrit les yeux, il n'aperçut plus, par la petite fenêtre aux vitres ornées de fleurs de givre, que le vol silencieux de la neige soulevée en une poudrerie de petits papillons blancs.

Une quarantaine d'heures s'étaient écoulées depuis la fin de l'opération. Une bouteille de sérum se déversait dans l'un de ses bras. On avait déposé ses dentiers dans un verre d'eau sur la table de chevet. On lui avait introduit dans le pénis un petit tube de matière plastique relié à un sac transparent suspendu au flanc du lit.

Un infirmier vêtu de blanc vint enlever se sac rempli d'urines pour le remplacer par un autre, et le vieil homme eut l'impression de se dissoudre peu à peu, de se transformer en une sorte de jus infect couleur d'urine et de s'écouler tout entier, goutte à goutte, par ce drain de plastique.

Et la Soeur blanche était debout au pied du lit murmurant des avés entre ses lèvres blanches.

Moins mal en point les premiers jours que par la suite, le vieil homme fut à même de comprendre que l'opération n'avait pas été un succès. Le cancer, décelé trop tard, avait gagné trop de terrain, et le chirurgien, après avoir tenté l'impossible, avait dû refermer l'incision conscient de n'être guère parvenu qu'à affaiblir son patient et à précipiter peut-être d'autant les progrès de la maladie. La durée de sa vie, plus ou moins prévisible, n'était plus qu'une question de résistance naturelle mais on ne lui accordait guère plus de quelques mois.

Au cours des semaines qui suivirent, le vieil homme s'accrocha à un seul désir : retourner dans le rêve qu'il avait fait sur la table d'opération, mais, brisé par la tristesse davantage encore que par l'âge, il vit tout à fait impuissant décroître ses forces avec une rapidité plus grande que prévue.

Constamment sous l'effet de puissants sédatifs, il ne retrouva plus qu'à intervalles de plus en plus éloignés une lucidité parfois très vive mais la plupart du temps fort mitigée.

Incapable de réunir assez d'énergie mentale pour rouvrir les portes de son rêve roux, il lui apparut de plus en plus que la vie était bien telle qu'il l'avait découverte à l'âge de trente ans : une maison immense dont les murs, le plancher et le plafond, comme sa chambre d'hôpital, avaient la blancheur atroce d'un soleil éteint, gelé, maison immense sur laquelle était posé le toit de goudron noir du désespoir.

Il voulut voir encore, un soir, un coucher de soleil pâle de février, mais, sa bouche déformée par l'absence de dentiers ne parvenant qu'à bredouiller des sons presque inaudibles, personne ne parut se rendre compte de son fou désir.

Pendant près d'un mois, des infirmiers vinrent le soulever, toutes les deux heures, pour le faire reposer tantôt sur le côté droit tantôt sur le côté gauche jusqu'à ce que la cicatrisation lui permette enfin de s'allonger sur le dos. Mais aussitôt, ses pauvres jambes recommencèrent à se recroqueviller, secouées de spasmes, à s'emmêler à tout moment, et la religieuse blanche, avec douceur mais énergie, dut, comme avant l'opération, appuyer de ses deux mains sur les genoux de l'homme afin de forcer les jambes à retrouver leur position allongée. Quelques minutes plus tard, les muscles repris de secousses pliaient les jambes jusqu'à rapprocher les talons des fesses, et les mains de la religieuse devaient appuyer de nouveau sur les genoux.

« Laissez-moi rêver, laissez-moi rêver, marmonnait de façon imperceptible l'homme dans ses rares instants de lucidité, laissez-moi rêver ».

« Il faut se résigner », dit la Soeur blanche comme se parlant à elle-même car elle n'avait pas perçu le moindre son de voix, et elle lui écrasa les jambes comme si le spectre même de la mort s'était efforcé de l'enfoncer dans son cercueil, tandis que tous les nerfs de l'homme se refusaient à la roideur définitive.

« Laissez-moi rêver, laissez-moi rêver », répétait-il, incapable d'articuler, et la Sœur blanche, un soir, approchant son oreille de la bouche tordue du moribond, crut comprendre : « Je veux me confesser ».

Un grand aumônier maigre tout vêtu de noir, portant au cou l'étole violette, s'approcha du lit et commença ses patenôtres.

En l'apercevant plus squelettique encore et plus noir que nature à cause de ses yeux embués par la fièvre, le vieil homme eut un sursaut de résistance et parvint à penser. La vie était-elle vraiment si atroce qu'on puisse aimer à ce point sans l'être de retour ? « Ainsi, pendant toute ma vie j'aurai aimé une femme qui ne m'aimait pas ? Jamais amour n'aura été plus immense et cet amour je l'aurai vécu seul ? ».

En proie à la plus absolue détresse, il tendit l'oreille au cas où lui seraient parvenues les harmonies des violons, des flûtes, des hautbois et des saxophones de velours de quelque fanfare d'anges dirigée par la baguette magique du père Papillon. Mais aucun son ne fit vibrer le silence éternel. Non, la clairière des délices où Dieu trônait, Soleil immense, aux côtés de la Vierge assise auprès d'un bel étang et filant sur les quenouilles les tuniques de soie rose dont elle revêtait les élus, non la clairière des délices n'était pas pour les mal-aimés. A ceux-là ne restait que le seul paradis de leurs rêves. « Chaque seconde de mon existence ratée, Anne-Marie, a été consacrée à penser à toi, mais je ne le regrette pas, ô mon amour, car tu valais cela ». Mais, avant de mourir, il aurait voulu lui dire, de personne à personne : « Je t'aime ». Une fois au moins, rien qu'une fois et même si cela ne servait plus à rien et même si elle ne l'aimait pas. Il aurait voulu lui dire : « Je t'aime ».

Et ce désir d'encore une fois la voir, de lui parler encore fut si puissant que le lit du mourant tout à coup devint une barque emportée sur la Grande-Rivière aux eaux vertes et limpides comme celles de la mer. Et la barque était accompagnée d'une nuée de flocons de neige qui se transformèrent en une poudrerie de papillons jaunes.

Le vieil homme était seul dans sa barque, il avait vingt-cinq ans, il était un jeune homme.

Il vit son père au fond des eaux dont le corps allait être dévoré par des requins bleus. Il l'attrapa dans un filet, le hissa dans la barque, lui flanqua quelques bonnes claques dans le dos et le père, revenu à la vie, se mit à sourire.

Une maison, sur la grève, flambait. Ils se jetèrent tous deux sur les rames, à grands ahans, mirent pied à terre, saisirent des vagues dans leurs bras et les lancèrent sur l'incendie sauvant ainsi la belle Rouge-Aimée qui les remercia d'un beau sourire.

Le jeune homme et ses parents se rendirent au cimetière de Nicolet et se mirent à creuser le sol avec leurs mains. Ils atteignirent bientôt le cercueil défoncé du grand-père et celui émietté de la grand-mère. Ils tirèrent de la fosse les deux vieux, très étonnés, qui se secouèrent de leurs herbes, de leurs glaises et de leurs vers. Le grand-père redescendit dans le trou, fouilla parmi les débris et parut très heureux de retrouver les lunettes de sa femme, sa pipe à lui et sa tranche à tabac. Puis ils s'assirent au soleil pour se faire sécher.

On délivra de la sorte le père Papillon et son épouse tout confus de voir leurs beaux habits, cravates, longue robe frangée de dentelles mis en lambeaux par la pourriture. Le père Papillon gratta des pousses de mousse verte collées aux merveilleux cheveux de sa dame puis il chercha parmi les poignées de cercueils, les clous rouillés et les fragments de bois, toutes les pièces de son jeu de bouteilles qu'il retrouva une à une, tous les morceaux d'un vieux piano qu'il reconstitua sur place ; il retrouva même un flacon de vin de trèfles mauves qu'on passa à la ronde avec le plus vif plaisir. Puis on déterra Ti-Draffe qui, toujours ivre, ne comprenait rien à sa résurrection mais se disait très satisfait de respirer le bon air de l'été et de voir des fleurs.

La petite troupe à l'odeur détestable se mit en marche vers la Grande-Rivière et, dès qu'ils se furent plongés dans ses eaux, tous retrouvèrent la fraîcheur qu'ils avaient eue de leur vivant.

Le jeune homme les laissant à leur gaieté monta au grenier de la demeure de ses grands-parents d'où lui parvenait une faible plainte. Chassant devant lui des draperies de toiles d'araignées, il découvrit dans un coin poussiéreux, prisonnier parmi les pages d'un immense album, le tout petit garçon qu'il avait été jadis. Il s'empressa de le débarrasser du cadre de carton collé autour de lui comme autour d'une photographie, et le petit garçon au très large col de dentelle, après avoir retrouvé dans un vieux coffre le soleil de laine rouge crocheté jadis par sa mère et tout perforé maintenant par les mites, se laissa glisser, fou de joie, sur la rampe des escaliers en faisant claquer contre les barreaux ses petites bottines à boutons.

Le jeune homme assit tout son monde sur la grève, versa à chacun, selon les goûts, un grand verre de vin de trèfles ou de vin d'oranges, ayant soin de laisser les bouteilles aux côtés de Ti-Draffe afin qu'il puisse se servir lui-même.

Alors la grève devint blanche comme celle de l'île d'Anna Maria. Des palmiers royaux et des cocotiers se dressèrent parmi les bouleaux et les érables. Des geais bleus, des cardinaux rouges, des pinsons, des roitelets, des moineaux, des carouges, des nuées de perruches jaunes et des rouges-gorges ivres se jetèrent en chantant dans le feuillage d'une vigne de mer fraîchement surgie près de la galerie de la maison des grands-parents. Des orangers, des tulipiers, des bananiers à fleurs énormes comme coeurs de boeufs, des citronniers, des banians, des lauriers-roses et des arbres d'orchidées entrelacèrent leurs branches aux chênes, aux saules, aux frênes, aux peupliers et aux tilleuls. Tortues, sarcelles, outardes, rats musqués et ouaouarons s'approchèrent de la rive pour admirer l'arrivée en masse des hérons, des cigognes, des mouettes rieuses et des pélicans. Le père Papillon aidé de tous roula le vieux piano jusqu'au bord de l'eau, disposa les pièces de bois verticales et horizontales auxquelles il suspendit des bouteilles remplies d'eau colorée, et, accompagné par la belle Joséphine, il se mit à jouer en infinies variations *Il faut croire au bonheur* et *Auprès de ma blonde, qu'il fait bon dormir,* tandis que le petit enfant à col de dentelle s'essayait à souffler dans un saxophone aussi haut que lui et que Ti-Draffe, retrouvant dans les poches de son veston les parties de sa clarinette, essayait avec mille maladresses de reconstituer son instrument.

Le jeune homme alors, saluant la compagnie après avoir vidé un dernier verre de vin d'oranges, s'avança sur un long quai de bois en tous points semblable à celui du

Port Saint-François. Au bout du quai, il remonta seul dans la barque et s'éloigna à grands ahans sur la Grande-Rivière qui avait la vastitude de la mer.

Au bord de l'horizon, il laissa traîner son vaste filet à flotteurs de liège, attrapa le soleil tout entier et, aux yeux émerveillés de ses amis, ramena l'astre jusqu'à la plage.

Il en détacha un morceau qui tout de suite prit la forme d'une merveilleuse jeune fille aux longs cheveux de rayons roux, aux joues picotées de grains de beauté comme les pétales des lys sauvages, et qui dit : « Je m'appelle Anne-Marie et j'appartiens pour toujours à ce garçon qui m'aime plus que tout au monde ». Les deux amoureux s'embrassèrent longuement et la foule applaudit, tandis que le petit enfant à col de dentelle agitait comme une crécelle une large fève de poinciana qu'il venait de trouver sur le sol et dont il faisait sonner les graines avec allégresse. On offrit du vin d'oranges à Anne-Marie émue jusqu'aux larmes de naître si subitement à la vie et à l'amour.

Le jeune homme que tous observaient parce que l'amour lui avait conféré la force et la beauté d'un dieu retenait toujours le soleil dans son vaste filet. Il le saisit avec ses mains puissantes et, le mêlant d'un coup à la terre, il ne forma plus avec ces deux astres qu'une seule énorme boule rouge toute parcourue d'un feu très doux qui était le feu tant de fois rêvé de l'immortalité. Il conserva sur cette boule rouge les fleurs, les arbres, les oiseaux, toute la nature et toute l'eau pour qu'on s'y puisse promener en canot, pour son père qui adorait la pêche, pour qu'on y puisse nager, pour les dauphins joyeux qui s'y ébrouaient en surface, pour la grand-mère qui aimait y tremper ses orteils, pour le père Papillon qui y voulait remplir ses bouteilles, pour le petit garçon à col de dentelle qui frémissait de joie à l'idée d'y construire à proximité les châteaux de sable de ses chimères, et puis pour la beauté tout simplement, pour la beauté infinie de la mer.

Il courut à un appentis, en revint les bras chargés de pinceaux et, plantant debout une échelle gigantesque, il grimpa jusqu'au ciel qu'il peintura tout entier en rouge comme s'il eût tenu en mains, aussi efficace que jadis, le pinceau de l'ivresse. Puis, par fantaisie autant que par hommage envers cette pièce de vêtement qui, toute sa vie durant, avait été le symbole de son amour, il peignit sur le ciel de grands carreaux de diverses teintes de rouge, si bien qu'une bonne chaleur de laine se répandit sur la petite foule de ses amis et que leur astre étrange fut comme enveloppé dans une immense chemise à carreaux rouges.

Ils vivaient maintenant sur une boule rouge entourée d'une vaste coupole à carreaux rouges.

Alors, il se jeta à deux genoux devant la bien-aimée, lui demanda sa main et tous deux se dirigèrent, suivis par les autres, vers la cathédrale de Nicolet dont les cloches, lancées à toute volée, avaient été remplacées par des noix de cocos en or.

Le père Papillon prit place aux grandes orgues dont les tuyaux étaient des rayons de lumière et fit merveille entrelaçant en harmonies fabuleuses la *Marche nuptiale* de Mendelssohn, l'*O Canada* et le *Star Spangled Banner* des Américains. Anne-Marie, coiffée d'une couronne d'orchidées roses, portait un bouquet énorme composé de tournesols, de lys orange, d'immortelles, d'étoiles de mer, de coeurs de conques en forme de lys, de coquillages ayant l'allure d'yeux de requins, d'iris bleus, d'églantines, de marguerites, d'hibiscus, de poinsettias, de verges d'or, de perruches, de plumes de paon, de fleurs blanches de sagitaires, de palmes, de fleurs roses de salicaires, de pissenlits, de fleurs de citronniers, de mockingbirds, de cardinaux, de libellules bleues, de feuilles d'érables rouges, de fraises, de mûres, de canards, de plumes de perdrix, de poissons exotiques aux vives couleurs et d'oiseaux de paradis. La traîne de sa robe de satin vert, se mêlant à la mer, faisait tout le tour de leur astre de feu.

Puis l'on porta un toast au vin d'oranges à la santé des nouveaux époux qui se jurèrent mutuellement de ne jamais échanger d'autres mots entre eux que ceux essentiels d'un éternel : « Je t'aime ».

Ils ne furent pas sitôt sortis de la cathédrale qu'une faible voix appelant du plus profond du jeune homme attira leur attention. Une petite fille rousse aux yeux verts, tout au fond de son coeur, disait vouloir venir jusqu'à la vie. Anne-Marie alors, déroulant un long câble qui provenait de ses entrailles et avait la texture d'un cordon ombilical, le descendit dans le corps de l'homme jusqu'à la petite fille qui s'y accrocha et fut remontée avec une tendresse exquise. Puis elle prit l'enfant à peine formée et, arborant le sourire sublime d'une jeune mère, elle l'enfouit dans son ventre et la porta jusqu'à ce qu'elle naisse parfaitement constituée et toute à l'image de sa mère.

De grandes ailes de poudre colorée poussèrent alors aux épaules des deux nouveaux époux qui s'envolèrent dans la lumière. Ils se mêlèrent l'un à l'autre en plein vol et, soulevés par le vent de l'amour, ils donnèrent naissance à de tout petits oeufs qui eurent bientôt fait d'éclore et de couvrir leur astre de petits papillons roux.

Puis ils revinrent sur le sol rouge où, entourés de leurs amis faisant musique et leur offrant le vin d'oranges, ils prirent place dans d'énormes chaises berceuses. Anne-Marie, portant toujours ses ailes, était assise dans une chaise en chêne berçant sur ses genoux leur petite fille rousse. Son mari, qui portait lui aussi ses ailes, était assis dans une chaise en merisier laminé, et tous deux, dans un pré d'immortelles et de lys orange, se berçaient côte à côte sur un astre rouge pareils à deux grands papillons enlaçant leurs trompes sucrées des pollens jaunes du bonheur.

Quelqu'un soudain, découpant dans le ciel une porte avec une facilité déconcertante, s'introduisit vêtu de blanc dans leur univers, et par la porte ouverte s'engouffra un tourbillon de neige. Et c'est alors que tous constatèrent avec effroi que leur univers n'était rien d'autre qu'une immense boîte de carton coloriée en rouge comme celles dans lesquelles s'enfermait jadis le peintre enfant à la venue de l'hiver. L'homme en blanc s'approcha de l'époux et suspendit à sa chaise berceuse en merisier laminé un sac de matière plastique transparente que ce-dernier reconnut avec terreur. Il eut l'impression de se dissoudre peu à peu, de se transformer en une sorte de jus couleur d'urine et de s'écouler tout entier, goutte à goutte, dans ce sac de plastique. Une peur insurmontable s'empara brusquement de lui. Il ouvrit des yeux globuleux exorbités par la terreur. Il était de nouveau dans sa chambre blanche d'hôpital et crut dans son délire voir l'infirmier vêtu de blanc, au pied du lit, qui allait s'éloigner avec un sac rempli d'urines.

Comment ? lui qui toute sa vie avait porté un si immense amour dans son coeur, lui, allait être anéanti au même titre que ceux-là qui n'avaient éprouvé que haine, envie, méchanceté ou qui n'avaient rien éprouvé du tout ? Tout son être se révolta à cette idée mais il lui fut bien évident qu'il ne resterait rien de lui bientôt dans ce lit blanc. Il serait tout entier infect dans ce sac qu'un infirmier immaculé s'empresserait d'aller jeter aux ordures.

Et c'est alors qu'il se mit à glisser, à glisser comme lorsque, jadis, au temps de son ivresse, il était tombé du toit de sa maison. Et de même qu'à cette époque lointaine où, s'accrochant éperduement aux lucarnes, aux saillies coupantes de la tôle, aux gouttières, rien n'avait pu l'empêcher de glisser et de choir tout en bas sur la neige, de même, en cet instant où sa vie prenait fin, rien ne put l'empêcher de glisser et d'être happé à une vitesse vertigineuse vers cette porte ouverte dans son univers de carton rouge, porte donnant sur le vide où il semblait neiger pour toute l'éternité.

Il s'accrocha à sa chaise, à son père, aux cheveux de Rouge-Aimée, à Ti-Draffe qui bascula, à tous ses amis tendant leurs mains vers lui, à la tranche à tabac du grand-père, au piano, au jeu de bouteilles qui se brisa en miettes colorées, à tous les arbres, aux fleurs et aux oiseaux, il s'accrocha à sa petite fille qui appelait sa mère ; Anne-Marie accourut essayant de retenir et l'enfant et le père, parvint à sauver leur petite fille mais rien ne put empêcher l'homme de glisser vers l'ouverture béante découpée dans le ciel de son rêve. Il s'accrocha aux cheveux roux d'Anne-Marie comme à la tête même de l'amour, il lui cria : « Je t'aime ! » mais les longs cheveux devenus soudain blancs comme la neige lui filèrent entre les doigts comme flocons de poudrerie. Le tout petit garçon à col très large de dentelle vint aussi au bord du trou et lui lança en guise de bouée le vieux soleil de laine rouge de son enfance. Et le vieil homme qui, sa vie durant, n'avait eu qu'un seul rêve : capturer le soleil afin de s'y enfouir pour ne jamais mourir de froid, capturer l'amour afin de s'y enfouir pour ne jamais mourir tout court, se retrouva tout seul emporté dans le vide avec, entre ses doigts crispés, un tout petit soleil de laine rouge dévoré par des nuées de mites blanches comme des flocons et dont en moins d'une seconde il ne lui resta rien entre les mains.

Le prêtre approcha son oreille violette de la bouche tordue du mourant, crut l'entendre bafouiller des invocations à la Vierge Marie et se redressa satisfait.

A la gauche du lit, la Sœur blanche se tenait roide comme la statue de glace de sa vie ratée. A la droite du lit, l'aumônier rigide était la statue noire du désespoir.

Et, de même qu'en cette nuit — qui ne devait jamais avoir de fin — du mois d'août 1927, il s'était effondré en larmes dans sa chemise à carreaux rouges posée sur les genoux de la femme tant aimée, de même le vieil homme, la figure enfouie dans cette espèce de chemise à carreaux de ses draps blancs qui lui semblaient teintés encore des restants de couleurs de son grand rêve roux, murmurait d'une voix de plus en plus imperceptible, étouffée de sanglots : « Anne-Marie, Anne-Marie, Anne-Marie, Anne-Marie, Anne-Marie ...

février 1974

Anna Maria (Golfe du Mexique)

Achevé d'imprimer
en septembre mil neuf cent soixante et quatorze
sur les presses de l'Imprimerie Gagné Ltée
Saint-Justin, — Montréal, Qué.